The
best preparation for

KB087716

VOCA
BULARY

The best preparation for VOCABULARY Level 3

지은이 넥서스영어교육연구소
펴낸이 임상진
펴낸곳 (주)넥서스
출판신고 1992년 4월 3일 제311-2002-2호 ㉝
10880 경기도 파주시 지목로 5
Tel (02)330-5500 Fax (02)330-5555

ISBN 978-89-6000-361-3 54740

www.nexusEDU.kr

The
best preparation for

VOCA
BULARY Level 3

넥서스 영어교육연구소

NEXUS Edu

머리말

The Best Preparation for Vocabulary 7단계 시리즈

더 보카(The best preparation for vocabulary: 어휘 학습을 위한 최적의 준비서)는 예비 중학교 수준부터 수능, 텝스, 토플 수험서 수준에 이르기까지 총 4,000여개(수능형 이상은 2,700단어)의 기본 어휘를 표제어로 다루고 있으며 이를 7단계로 나누어 학습자가 수준별로 가시적인 목표를 두고 차근히 마스터해 나갈 수 있도록 구성된 단계별 어휘 학습 교재 시리즈입니다.

효율적인 어휘 학습 방식에 대해서는 다양한 이론과 의견들이 있지만, 가장 중요한 것은 학습자가 꾸준한 학습 목표를 설정하고 진도 모니터링을 얼마큼 철저히 해 나가느냐에 달려 있습니다. 즉, 성공적인 어휘 학습의 비결은 일정량의 어휘를 목표로 설정하고 학습 진도를 체크해 나가는 방식을 체질화하는 것입니다.

더 보카 7단계 시리즈는 이런 원활한 학습 목표 설정과 확인 학습 훈련을 위해 7단계의 수준별, 테마별 학습 목표 어휘 수를 제시하고, 온라인을 통해 임의로 선택된 어휘 테스트 스케줄러를 제공하여 학습한 어휘를 꾸준히 체크해 볼 수 있도록 하였으며 이 교재로 함께 공부하는 학습자들이 서로 학습 결과를 비교할 수 있어 더 적극적인 어휘 학습에 대한 동기 부여가 될 수 있도록 하였습니다.

또한 어휘의 효율적인 학습을 위해 초기 Level 1~3에서는 예문보다는 구문을 제시하여 어휘의 1차적 의미에 집중도를 높였고, 그 이후 단계부터는 예문을 사용할 수 있도록 어휘 활용 컨텍스트를 조율했습니다. 기본 어휘군과 더불어, 테마별, Phrasal verb, 숙어, 다의어/어근 등의 다양한 어휘 클러스터링을 단계별로 제공하여 학생들이 기본 어휘를 학습하면서 자연스럽게 어휘 확장이 이루어질 수 있도록 하였습니다.

더 보카 7단계 시리즈로 단계별 어휘 학습 목표를 설정하여 꾸준히 한 단위, 한 권씩 마무리해 나가는 성취감을 느끼시길 바랍니다.

넥서스 영어교육연구소

이 책의 특징

1 Essential words for the school test

중학교 2학년과 3학년 학생이 반드시 알아야 할 핵심 단어뿐 아니라 중학교 13종 교과서에 나와 있는 주요 단어들을 정리했습니다.

2 Collocation-based recognition

각 단어마다 유용한 collocation을 붙여 단어를 보다 효율적으로 외울 수 있도록 구성했습니다.

3 Derivative/Synonym/Antonym의 어휘 확장

연계 학습을 통해 각 단어와 관련된 파생어를 학습할 수 있도록 구성했습니다.

4 A variety of question types

Exercise →Review Test →Accumulative Test로 이루어지는 단계적 테스트를 통해 반복적으로 단어를 암기할 수 있도록 했습니다.

5 Sound-based recognition

학습한 단어를 음성으로 복습할 수 있도록 하여 청취실력 향상에 도움이 되도록 구성했습니다.

6 온라인 학습 리뷰 테스트 평가

온라인(www.nexusbook.com)을 통해 학습 어휘를 테스트해 보면서 다른 학생들과 결과를 비교할 수 있어 자신의 학습성취도를 모니터링할 수 있습니다.

구성과 특징

Day Lesson
각 25개 씩 단어 목표를 제시하였습니다.

Collocation
각 단어마다 유용한 collocation을 붙여 효과적으로 단어를 외울 수 있도록 했습니다.

Derivative/Synonym /Antonym
각 단어의 유의어와 파생어를 첨가하여 단어를 폭넓게 공부할 수 있도록 했습니다.

Exercise
Exercise를 통해서 매일 배운 단어를 다시 한번 확인 할 수 있습니다.

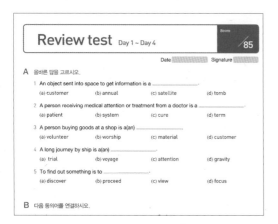

Review test

4일에 한번 씩 Review test 를 실시하여 앞에서 배운 단어를 한 번 더 검토하고, 중요 단어를 선별하여 단어들의 쓰임새를 익히도록 했습니다.

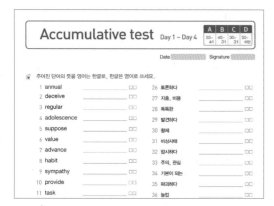

Accumulative Test

Accumulative Test를 통해 그동안 배운 전체 단어를 다시 한 번 복습 할 수 있습니다.

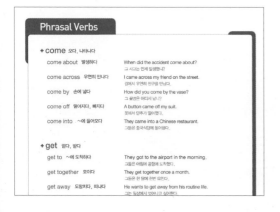

Phrasal Verbs

주제별로 단어를 분류하여 어휘를 보다 효율적으로 외울 수 있도록 구성 했습니다.

CONTENTS

Part 1

Part 2

Part 3

Part 4

Part 5

Part 1

Day 1

▶100 200 300 400 500

01 adolescence [æ̀dəlésəns] n. 사춘기, 청소년기
changes in adolescence 청소년기 변화
유 teens 청소년
adolescent ⓐ 청춘의, 젊은 ⓝ 청년, 젊은이

02 composer [kəmpóuzər] n. 작곡가
a famous composer 유명한 작곡가
ⓥ compose 작곡하다

03 trial [tráiəl] n. 시도, 실험
a difficult trial 어려운 시도
ⓥ try 시도하다

04 emergency [imə́:rdʒənsi] n. 비상사태
a medical emergency 의료 비상사태
ⓐ emergent 긴박한

05 sympathy [símpəθi] n. 공감, 동정, 조의
show sympathy 조의를 표하다
ⓐ sympathetic 동정심이 있는
★feel sympathy for~ ~를 동정하다

06 expedition [èkspədíʃən] n. 원정(대), (탐험)여행
the polar expedition 극지 탐험
유 journey 여행

07 system [sístəm] n. 체계, 조직, 계통, 제도
the solar system 태양계
★ transport system 대중교통 체계

08 humankind [hjú:mənkáind] n. 인류
save humankind 인류를 구하다

09 satellite [sǽtəlàit] n. 인공위성
launch the satellite 인공위성을 발사하다

10 population [pàpjəléiʃən] n. 인구, 주민
the population of Africa 아프리카의 인구
유 inhabitant 거주민

11 cure [kjuər] v. 치료하다 n. 치료(법)
cure a disease 병을 치료하다
a cure for cancer 암 치료법
유 heal 치료하다

12 doubt [daut] v. 의심하다 n. 의심
doubt his ability 그의 능력을 의심하다
have no doubt 의심치 않다
반 trust 믿다, 신용하다

13 destroy [distrɔ́i] v. 파괴하다   ㉠ ruin 파괴하다 ㊬ construct 건설하다, 세우다
destroy a wall 벽을 부수다

14 proceed [prəsíːd] v. 나아가다, 속행하다
proceed to a room 방으로 가다
proceed with a meeting 회의를 속행하다

15 add [æd] v. 더하다, 보태다, 추가하다
add sugar to coffee 커피에 설탕을 넣다
add a new folder 새 폴더를 추가하다

16 discuss [diskʌ́s] v. 토론하다, 논의하다   ⓝ discussion 토론, 의논
discuss a matter 문제를 논의하다   ★ discuss with~ ~와 논의하다

17 produce [prədjúːs] v. 생산하다, 제조하다   ⓝ production 생산, 제조, 제품
produce flour 밀가루를 생산하다

18 select [silékt] v. 선택하다   ⓝ selection 선택
select a color 색깔을 선택하다

19 collect [kəlékt] v. 모으다, 수집하다   ㉠ gather 모으다 ⓝ collection 수집
collect stamps 우표를 모으다

20 notice [nóutis] v. 주의하다, 알아채다 n. 통지, 공고 ★ give ~a notice ~에게 통보하다
notice a difference 차이를 알아채다

21 annual [ǽnjuəl] a. 1년의, 해마다의   ㉠ yearly 매년의
an annual income 연간 수입

22 due [djúː] a. 지급기일이 된, ~할 예정인   ★ due to~ ~때문에
due date 만기일
due to travel 여행할 예정인

23 several [sévərəl] a. 몇몇의, 수 개의   ★ a few 몇몇의
several times 몇 차례

24 former [fɔ́ːrmər] a. (순서·시간) 전의, 이전의
her former husband 그녀의 전 남편

25 necessary [nésəsèri] a. 필요한 n. 필수품 (~ies) ㊬ unnecessary 불필요한
a necessary document 필요 서류
daily necessaries 일용품

Exercise

Score
/30

Expression Check 다음 영어를 우리말로, 우리말을 영어로 바꾸시오.

1 due to travel — 여행할 _____
2 destroy a wall — 벽을 _____
3 collect stamps — 우표를 _____
4 produce flour — 밀가루를 _____
5 cure a disease — 병을 _____

6 연간 수입 — an _____ income
7 문제를 논의하다 — _____ a matter
8 차이를 알아채다 — _____ the difference
9 인류를 구하다 — save _____
10 그의 능력을 의심하다 — _____ his ability

Word Link 다음 빈칸에 알맞은 단어를 쓰시오.

11 emergency : emergent = 비상사태 : ▨▨▨▨
12 expedition : journey = 탐험 : ▨▨▨▨
13 ▨▨▨▨ : collect = 수집 : 수집하다
14 necessary : ▨▨▨▨ = 필요한 : 불필요한
15 doubt : trust = 의심하다 : ▨▨▨▨

16 destroy : ▨▨▨▨ = 파괴하다 : 건설하다
17 trial : try = 시도 : ▨▨▨▨
18 discuss : ▨▨▨▨ = 토론하다 : 토의
19 sympathy : sympathetic = 동정 : ▨▨▨▨
20 produce : production = 생산하다 : ▨▨▨▨

Sentence Practice 배운 단어를 사용하여 문장을 완성하시오.

21 의사는 최근의 비상사태에 대해 논의했다. → The doctor ▨▨▨▨ the recent ▨▨▨▨.

22 몇몇 간호사들은 2년 전에 그 병원에서 일했다. → ▨▨▨▨ nurses worked at the hospital two years ago.

23 그는 이전의 직장에 돌아가기로 결정했다. → He decided to return to his ▨▨▨▨ job.

24 그의 연례 연설은 내일 있을 예정이다. → His ▨▨▨▨ speech will be delivered tomorrow.

25 정글 탐험대는 천천히 강쪽으로 나아갔다. → The jungle ▨▨▨▨ slowly ▨▨▨▨ to the river.

26 그 분홍색 통지서에는 필수정보가 포함되어 있다. → The pink ▨▨▨▨ includes the ▨▨▨▨ information.

27 낡은 인공위성이 어제 파괴되었다. → The old ▨▨▨▨ was ▨▨▨▨ yesterday.

28 눈 때문에 휴교를 했다. → The school was closed ▨▨▨▨ to snow.

29 많은 십대들이 옛날 동전을 수집한다 → Many teenagers ▨▨▨▨ old coins.

30 교사들은 대회에 나갈 학생들을 선발했다. → The teachers ▨▨▨▨ students for the contest.

Day 2

▶100 200 300 400 500

01 **advance** [ədvǽns] n. 전진, 진보 ★in advance 미리, 사전에
the advance of technology 기술 발전

02 **convenience** [kənvíːnjəns] n. 편의, 편리 ⓐ convenient 편리한
a convenience store 편의점

03 **expense** [ikspéns] n. 지출, 비용 ⓐ expensive 값비싼
a great expense 막대한 경비

04 **shelter** [ʃéltər] n. 피난처, 은신처
a shelter for the homeless 집 없는 사람들을 위한 쉼터

05 **view** [vjuː] v. 바라보다, 검토하다 n. 경치 ㊀ scene 경치
look at the view 경치를 바라보다
view the photos 사진을 보다

06 **task** [tæsk] n. 임무, 과제 ㊀ duty 임무
complete a task 임무를 완수하다

07 **material** [mətíəriəl] n. 재료, 물질 ★raw material 원료
buy the material 재료를 사다

08 **semester** [siméstər] n. 한 학기, 6개월
next semester 다음 학기

09 **pronunciation** [prənʌnsiéiʃən] n. 발음 ⓥ pronounce 발음하다
French pronunciation 프랑스어 발음

10 **trick** [trik] v. 속이다 n. 책략, 속임수 ㊀ cheat 속이다
perform a magic trick 마술을 하다
trick an audience 청중을 속이다

11 **emperor** [émpərər] n. 황제, 제왕 ㊁ empress 황후
a Roman emperor 로마 황제

12 **attention** [əténʃən] n. 주의, 배려, 관심 ㊀ care 주의, 배려 ⓐ attentive 주의 깊은
May I have your attention? 주목해 주시겠어요? ★pay attention to~ ~에 주의를 기울이다

13 control [kəntróul] v. 통제[지배]하다 n. 통제[지배]
control the horses 말들을 통제하다
control prices 물가를 통제하다
beyond his control 그의 통제 밖에 있는

14 deceive [disíːv] v. 속이다
deceive an enemy 적을 속이다

☑ trick 속이다

15 prevent [privént] v. 막다, 예방하다
prevent trouble 문제를 예방하다
prevent an accident 사고를 막다

ⓝ prevention 저지, 예방
★ prevent from~ ~를 막다

16 advertise [ǽdvərtàiz] v. 광고하다, 선전하다
advertise a car 자동차를 광고하다

ⓝ advertisement 광고

17 suggest [səgdʒést] v. 암시[시사]하다, 제의하다
strongly suggest 강력히 시사하다
suggest ideas 아이디어를 제안하다

ⓝ suggestion 제의, 제안

18 provide [prəváid] v. 공급하다, 제공하다
provide food 음식을 제공하다

ⓨ supply 제공하다
★ provide A for B B에게 A를 제공하다

19 fasten [fǽsn] v. 묶다, 붙들어 매다
Fasten your seat belt. 좌석 벨트를 매시오.

ⓨ tie 묶다

20 depend [dipénd] v. 의존하다
depend on him 그에게 의존하다

ⓐ dependent 의지하는

21 average [ǽvəridʒ] n. 평균, 표준 a. 평균의, 보통의 ★ above the average 평균 이상
an average of 30% 평균 30%
average grades 평균 점수

22 dull [dʌl] a. 무딘, (머리가)둔한, 지루한
a dull axe 무딘 도끼
a dull talk 지루한 이야기

ⓟ sharp 날카로운

23 rapid [rǽpid] a. 빠른, 급한, 신속한
a rapid change 급속한 변화

ⓨ quick 빠른 ⓐ rapidly 빨리

24 unique [juːníːk] a. 독특한, 유일한
unique color 독특한 색깔

25 patient [péiʃənt] n. 환자 a. 참을성[인내심] 있는
help a patient 환자를 돕다
a patient man 인내심 있는 사람

ⓟ impatient 인내심 없는 ⓝ patience 인내심

Exercise

Expression Check 다음 영어를 우리말로, 우리말을 영어로 바꾸시오.

1 a great expense 막대한 _____
2 look at a view _____를 바라보다
3 complete a task _____를 완수하다
4 provide food 음식을 _____
5 unique color _____ 색깔

6 자동차를 광고하다 _____ a car
7 적을 속이다 _____ the enemy
8 급속한 변화 a _____ change
9 문제를 예방하다 _____ trouble
10 그에게 의존하다 _____ on him

Word Link 다음 빈칸에 알맞은 단어를 쓰시오.

11 convenience : _____ = 편의 : 편리한
12 rapid : rapidly = 빠른 : _____
13 attention : attentive = 주의 : _____
14 patient : _____ : 인내심 있는 : 인내심 없는
15 suggest : suggestion = 제안하다 : _____

16 dull : _____ = 무딘 : 날카로운
17 prevent : prevention = 예방하다 : _____
18 expense : _____ = 비용 : 비싼
19 deceive : trick = 속이다 : _____
20 advertise : advertisement = 광고하다 : _____

Sentence Practice 배운 단어를 사용하여 문장을 완성하시오.

21 아름다운 경치가 내 관심을 끌었다.
→ The beautiful _____ got my _____.

22 마술사의 속임수가 황제를 놀라게 했다.
→ The magician's _____ surprised the _____.

23 내 영어 발음이 많이 향상되었다.
→ My English _____ improved a lot.

24 그의 사업 경비가 증가했다.
→ His business _____ was increased.

25 그녀는 소풍을 가자고 제안했다.
→ She _____ that we go on a picnic.

26 안전벨트를 매주세요.
→ Please _____ your seat belt.

27 그 회사는 자신들의 독특한 제품을 광고했다.
→ The company _____ their _____ products.

28 병원에 많은 환자들이 있다.
→ There are a lot of _____ in the hospital.

29 그는 내가 축구를 하지 못하도록 했다.
→ He _____ me from playing soccer.

30 너는 이 문제에 좀 더 주의를 기울어야 해.
→ You should pay more _____ to this problem.

Day 3

▶100 200 300 400 500

01 advantage [ədvǽntidʒ] n. 이점, 강점, 유리한 점
an advantage of Internet 인터넷의 이점
반 disadvantage 불리한 상황, 손실
★take advantage of~ ~을 이용하다

02 custom [kʌ́stəm] n. 관습, 풍습, 관례
practice a custom 관습을 지키다
n customs 관세, 세관

03 period [píəriəd] n. 기간, 시기
a long period 오랜 기간
★for a period of~ ~동안에

04 gravity [grǽvəti] n. 중력, 지구인력
zero gravity 무중력 상태
★the law of gravity 만유인력의 법칙

05 medium [míːdiəm] n. 수단, 매개물 a. 중간의
a medium of communication 통신 수단
medium length 중간 길이
유 means 수단, 방법

06 sense [sens] v. 느끼다, 알아차리다 n. 감각, 분별
sense danger 위험을 느끼다
the five senses 오감
a sensitive 민감한, 예민한
★make sense 말이 되다, 이치에 닿다

07 proverb [právəːrb] n. 속담, 격언
a helpful proverb 유용한 속담
유 maxim 격언, 금언

08 value [vǽljuː] n. 가치, 값
a high value 높은 가치
a valuable 가치 있는

09 error [érər] n. 잘못, 실수
admit an error 실수를 인정하다
유 mistake 실수

10 term [təːrm] n. 기한, 기간
a short term 단기간
유 period 기한, 기간

11 worship [wə́ːrʃip] v. 예배[숭배]하다 n. 예배[숭배]
worship god 신을 숭배하다
go to worship 예배하러 가다

12 vote [vout] v. 투표하다
vote for him 그에게 찬성표를 던지다
★vote for~ ~에 찬성 투표하다

13   **discover** [diskʌ́vər] v. 발견하다, 알다   ⓝ discovery 발견
discover an island   섬을 발견하다

14   **pretend** [priténd] v. ~인 체하다, 가장하다
pretend to be a dog   개로 가장하다
pretend illness   꾀병을 부리다

15   **announce** [ənáuns] v. 알리다, 공지하다   ⓝ announcement 공지, 공고
announce a winner   승자를 발표하다

16   **feed** [fiːd] v. 먹이를 주다   ★ feed on ~를 먹고 살다
feed a monkey   원숭이에게 먹이를 주다

17   **recognize** [rékəɡnàiz] v. 인식하다, 알아보다   윤 identify 식별하다, 알아보다
recognize a problem   문제점을 인식하다   ⓝ recognition 인식, 인정
recognize a girl   소녀를 알아보다

18   **suppose** [səpóuz] v. 가정하다, 상상하다
suppose he won   그가 이겼다고 가정하다

19   **describe** [diskráib] v. 묘사하다, 말로 설명하다   ⓝ description 묘사, 설명
describe a scene   그 장면을 묘사하다

20   **praise** [preiz] v. 칭찬하다 n. 칭찬, 찬양
praise her for her effort   그녀의 노력을 칭찬하다
give praise   칭찬하다

21   **elementary** [èləméntəri] a. 기본이 되는, 기초의   윤 basic 기초의
an elementary school   초등학교
an elementary class   기초반

22   **grand** [grænd] a. 거대한, 웅장한   윤 magnificent 장대한, 웅장한
a grand building   웅장한 건물

23   **raw** [rɔː] a. 날것의, 생의, 가공하지 않은   반 cooked 요리된
raw meat   날고기

24   **worth** [wə́ːrθ] n. 가치, 진가 a. ~할 가치가 있는   윤 value 가치 ⓐ worthy 가치 있는
three dollars' worth of sugar   3 달러어치의 설탕
worth a try   시도할 만한

25   **regular** [réɡulər] a. 보통의, 정기적인, 규칙적인   반 irregular 불규칙적인
a regular business trip   정기 출장

Exercise

Expression Check 다음 영어를 우리말로, 우리말을 영어로 바꾸시오.

1 sense danger   위험을 _____
2 worship god   신을 _____
3 discover an island   섬을 _____
4 a long period   오랜 _____
5 announce a winner   승자를 _____

6 날고기 _____ meat
7 원숭이에게 먹이를 주다 _____ a monkey
8 소녀를 알아보다 _____ a girl
9 장면을 묘사하다 _____ a scene
10 유용한 속담   a helpful _____

Word Link 다음 빈칸에 알맞은 단어를 쓰시오.

11 advantage : disadvantage = 이점 : _____
12 worth : worthy = 가치 : _____
13 regular : _____ = 규칙의 : 불규칙적인
14 raw : cooked = 날것의 : _____
15 discover : discovery = 발견하다 : _____

16 sense : _____ = 감각 : 민감한
17 value : _____ = 가치 : 가치 있는
18 _____ : describe= 묘사 :묘사하다
19 custom : customs = 관습 : _____
20 announce : announcement = 알리다 : _____

Sentence Practice 배운 단어를 사용하여 문장을 완성하시오.

21 많은 사람들이 신을 숭배하기 위해 모였다. → Many people came together to _____ god.
22 그 과학자는 목성의 중력에 대해 설명했다. → The scientist _____ the _____ on Jupiter.
23 고대 격언들은 오늘날 큰 가치를 지닌다. → Ancient _____ have great _____ today.
24 인터넷 사용의 이점은 무엇입니까? → What is the _____ of using the Internet?
25 일본 사람들은 생선회를 먹는 것을 좋아한다. → Japanese like to eat _____ fish.
26 그들은 선생님의 훌륭한 솜씨를 칭찬했다. → They _____ the teacher for her excellent skills.
27 그녀는 쇼핑몰에서 영화배우를 알아보았다. → She _____ a movie star at a shopping mall.
28 부모님은 그 후보자에 찬성표를 던지셨다. → My parents _____ for the candidate.
29 그 스파이는 우리 군대의 병사로 위장했다. → The spy _____ to be a soldier in our army.
30 마루에 누워있는 고양이에게 먹이를 주지 마라. → Do not _____ the cat lying on the floor.

Day 4

01 **agriculture** [ǽgrikʌltʃər] n. 농업, 농사
the Ministry of Agriculture 농림부 장관
㊌ farming 농업

02 **customer** [kʌ́stəmər] n. 고객, 단골
a regular customer 단골 고객
㊌ client 고객

03 **plenty** [plénti] n. 많음, 대량
plenty of water 풍부한 물
★ plenty of~ ~이 풍부한

04 **habit** [hǽbit] n. 버릇, 습관
a bad habit 나쁜 습관
★ pick up a habit 버릇을 들이다

05 **mess** [mes] n. 뒤죽박죽, 엉망
make a mess 어질러 놓다
ⓐ messy 어질러진, 지저분한

06 **sight** [sait] n. 시각, 시야, 풍경
at first sight 첫 눈에
★ at the sight of~ ~을 보고

07 **quality** [kwáləti] n. (품)질, 특성
good quality 좋은 품질
㊉ quantity 양

08 **voyage** [vɔ́iidʒ] n. 항해, 여행
go on a voyage 항해하다
㊌ travel 여행

09 **bottom** [bátəm] n. (밑)바닥, 기초, 기본
the bottom of a bottle 병 밑바닥
㊉ top 꼭대기

10 **tomb** [tu:m] n. 무덤, 묘
open a tomb 무덤을 열다
㊌ grave 묘지, 무덤

11 **double** [dʌ́bl] v. 두 배로 하다 a. 두 배의
double the price 가격을 두 배로 올리다
double pay 두 배의 급료
triple ⓥ 세 배로 하다 ⓐ 세 배의

12 **focus** [fóukəs] v. 초점을 맞추다, 집중하다 n. 초점
focus on a story 이야기에 집중하다
a different focus 다른 초점
㊌ concentrate 집중하다

13　dig [dig] v. 파다
dig a ground 땅을 파다

14　preserve [prizə́ːrv] v. 보호하다, 보존하다　　　유 protect 보호하다
preserve the enviroment 환경을 보전하다

15　appear [əpíər] v. 나타나다, ~인 것 같다　　　반 disappear 사라지다
appear healthy 건강해 보이다

16　expect [ikspékt] v. 기대하다, 바라다　　　n expectation 기대, 예상
expect a present 선물를 기대하다

17　recover [rikʌ́vər] v. (건강을) 회복하다, 되찾다　　　유 get better 회복되다 n recovery 회복
recover from an illness 병에서 회복되다

18　compete [kəmpíːt] v. 경쟁하다, 겨루다　　　n competition 경쟁
compete with others 다른 사람과 경쟁하다

19　develop [divéləp] v. 발달시키다, 개발하다　　　n development 개발
develop a rural area 농촌 지역을 개발하다

20　volunteer [vὰləntíər] v. 자원하다 n. 자원봉사자
volunteer a job 일을 자원하다
become a volunteer 자원봉사자가 되다

21　anxious [ǽŋkʃəs] a. 걱정하는, 열망하는　　　유 eager 열망하는 n anxiety 걱정, 열망
anxious about future 미래를 걱정하는　　　★ be anxious to~ 몹시 ~ 하고 싶은
anxious for money 돈을 열망하는

22　greedy [gríːdi] a. 탐욕스러운, 몹시 탐내는　　　n greed 탐욕, 욕심
a greedy man 탐욕스러운 사람

23　specific [spisífik] a. 구체적인, 특수한　　　반 general 일반적인
a specific item 특정 품목
a specific question 구체적인 질문

24　imaginative [imǽdʒənətiv] a. 상상력이 풍부한　　　n imagination 상상(력) v imagine 상상하다
an imaginative novelist 상상력이 풍부한 소설가

25　rough [rʌf] a. 거친, 험한, 울퉁불퉁한　　　반 smooth 부드러운
a rough road 울퉁불퉁한 도로

Exercise

Expression Check 다음 영어를 우리말로, 우리말을 영어로 바꾸시오.

1 a regular customer 　　　단골 _____
2 the bottom of a bottle 　병 _____
3 good quality 　　　　　　좋은 _____
4 a specific question 　　　_____ 질문
5 anxious for money 　　　돈을 _____

6 어질러 놓다 　　　　make a _____
7 무덤을 열다 　　　　open a _____
8 탐욕스러운 사람 　　a _____ man
9 환경을 보전하다 　　_____ the environment
10 농촌 지역을 개발하다 _____ a rural area

Word Link 다음 빈칸에 알맞은 단어를 쓰시오.

11 specific : general = 특수한 : _____
12 bottom : _____ = 바닥 : 꼭대기
13 compete : _____ = 경쟁하다 : 경쟁
14 anxious : anxiety = 열망하는 : _____
15 rough : _____ = 거친 : 부드러운

16 quality : _____ = 질 : 양
17 appear : _____ = 나타나다 : 사라지다
18 expect : expectation = 기대하다 : _____
19 double : triple = 두 배의 : _____
20 tomb : grave = 무덤 : _____

Sentence Practice 배운 단어를 사용하여 문장을 완성하시오.

21 여우가 먹을 것을 찾기 위해 땅을 파고 있다. → The fox is _____ the ground for food.
22 그 고객은 종업원이 도와주기를 바랐다. → The _____ _____ the clerk to help him.
23 운동선수들이 우승을 위해 겨루고 있다. → Athletes are _____ for the championship.
24 우리 삼촌은 야구 코치를 자원했다. → My uncle _____ as a baseball coach.
25 그녀는 사고에서 회복되었다. → She _____ from the accident.
26 상상력이 풍부한 감독은 멋진 영화를 만들었다. → The _____ director created a fantastic movie.
27 그들은 약초로 만든 의약품을 개발했다. → They _____ a medicine from a herbal plant.
28 회사는 고객 서비스에 집중해야 한다. → A company needs to _____ on _____ service.
29 그들은 대부분의 중요한 정보를 보존했다. → They _____ most of the important information.
30 이 험한 길은 파라오의 무덤으로 이어진다. → The _____ road leads to the pharaoh's _____.

Date   Signature

A 올바른 답을 고르시오.

1 An object sent into space to get information is a _____.

(a) customer   (b) annual   (c) satellite   (d) tomb

2 A person receiving medical attention or treatment from a doctor is a _____.

(a) patient   (b) system   (c) cure   (d) term

3 A person buying goods at a shop is a(an) _____.

(a) volunteer   (b) worship   (c) material   (d) customer

4 A long journey by ship is a(an) _____.

(a) trial   (b) voyage   (c) attention   (d) gravity

5 To find out something is to _____.

(a) discover   (b) proceed   (c) view   (d) focus

B 다음 동의어를 연결하시오.

6 unique   ·   · ⓐ duty

7 task   ·   · ⓑ special

8 plenty   ·   · ⓒ cheat

9 term   ·   · ⓓ period

10 deceive   ·   · ⓔ lots of

C 다음 박스에서 알맞은 단어를 골라 빈칸을 채우시오. (필요한 경우 형태를 바꾸시오.)

| view | preserve | habit | greedy | shelter |

11 Many homeless people are looking for a _____.

12 The government is trying to _____ our valuable culture.

13 I have a _____ of reading books at night.

14 Do you have a room with an ocean _____?

15 The _____ man lost his money.

D 다음 영어를 우리말로, 우리말을 영어로 바꾸시오.

16 composer _____
17 emergency _____
18 satellite _____
19 cure _____
20 destroy _____
21 discuss _____
22 task _____
23 semester _____
24 control _____
25 fasten _____
26 depend _____
27 custom _____
28 sense _____
29 worship _____
30 produce _____
31 anxious _____
32 mess _____
33 imaginative _____
34 greedy _____
35 habit _____

36 사춘기 _____
37 인류 _____
38 인구 _____
39 의심하다 _____
40 더하다 _____
41 수집하다 _____
42 필요한 _____
43 지출, 비용 _____
44 재료 _____
45 황제 _____
46 예방하다 _____
47 빠른 _____
48 환자 _____
49 중력 _____
50 속담 _____
51 투표하다 _____
52 먹이를 주다 _____
53 자원하다 _____
54 무덤 _____
55 날것의 _____

E 단어를 듣고 받아쓰시오.

56 _____
57 _____
58 _____
59 _____
60 _____
61 _____
62 _____
63 _____
64 _____
65 _____

66 _____
67 _____
68 _____
69 _____
70 _____
71 _____
72 _____
73 _____
74 _____
75 _____

76 _____
77 _____
78 _____
79 _____
80 _____
81 _____
82 _____
83 _____
84 _____
85 _____

Accumulative test Day 1 ~ Day 4

A	B	C	D
50~41	40~31	30~21	20~미만

Date ▨▨▨▨▨▨▨▨   Signature ▨▨▨▨▨▨

주어진 단어의 뜻을 영어는 한글로, 한글은 영어로 쓰세요.

1 annual _____ ☐☐
2 deceive _____ ☐☐
3 regular _____ ☐☐
4 adolescence _____ ☐☐
5 suppose _____ ☐☐
6 value _____ ☐☐
7 advance _____ ☐☐
8 habit _____ ☐☐
9 sympathy _____ ☐☐
10 provide _____ ☐☐
11 task _____ ☐☐
12 advertise _____ ☐☐
13 pretend _____ ☐☐
14 material _____ ☐☐
15 quality _____ ☐☐
16 composer _____ ☐☐
17 worth _____ ☐☐
18 depend _____ ☐☐
19 gravity _____ ☐☐
20 population _____ ☐☐
21 recover _____ ☐☐
22 imaginative _____ ☐☐
23 pronunciation _____ ☐☐
24 preserve _____ ☐☐
25 satellite _____ ☐☐

26 토론하다 _____ ☐☐
27 지출, 비용 _____ ☐☐
28 독특한 _____ ☐☐
29 발견하다 _____ ☐☐
30 황제 _____ ☐☐
31 비상사태 _____ ☐☐
32 암시하다 _____ ☐☐
33 주의, 관심 _____ ☐☐
34 기본이 되는 _____ ☐☐
35 파괴하다 _____ ☐☐
36 농업 _____ ☐☐
37 인식하다 _____ ☐☐
38 인류 _____ ☐☐
39 고객 _____ ☐☐
40 무딘 _____ ☐☐
41 기대하다 _____ ☐☐
42 칭찬하다 _____ ☐☐
43 필요한 _____ ☐☐
44 자원봉사자 _____ ☐☐
45 이점 _____ ☐☐
46 두 배의 _____ ☐☐
47 밑바닥 _____ ☐☐
48 의심하다 _____ ☐☐
49 탐욕스러운 _____ ☐☐
50 투표하다 _____ ☐☐

Phrasal Verbs

+ come 오다, 나타나다

come about 발생하다
When did the accident come about?
그 사고는 언제 발생했니?

come across 우연히 만나다
I came across my friend on the street.
길에서 우연히 친구를 만났다.

come by 손에 넣다
How did you come by the vase?
그 꽃병은 어디서 났니?

come off 떨어지다, 빠지다
A button came off my suit.
옷에서 단추가 떨어졌다.

come into ~에 들어오다
They came into a Chinese restaurant.
그들은 중국식당에 들어왔다.

+ get 얻다, 받다

get to ~에 도착하다
They got to the airport in the morning.
그들은 아침에 공항에 도착했다.

get together 모이다
They get together once a month.
그들은 한 달에 한번 모인다.

get away 도망치다, 떠나다
He wants to get away from his routine life.
그는 일상에서 벗어나고 싶어한다.

get out 나가다
He told me to get out of his room.
그는 나에게 방에서 나가라고 말했다.

get on (버스 등에) 타다
She got on the train for Boston.
그녀는 보스턴 행 기차를 탔다.

Check - up

1 I _____ _____ James on the way to school.
나는 학교 가는 길에 우연히 James를 만났다.

2 Did you see her _____ _____ the library?
너는 그녀가 도서관에 들어오는 것을 보았니?

3 Please call me when you _____ _____ Seoul.
서울에 도착하면 전화주세요.

4 You have to _____ _____ the bus for the city hall.
너는 시청으로 가는 버스를 타야 한다.

Part 2

Day 5

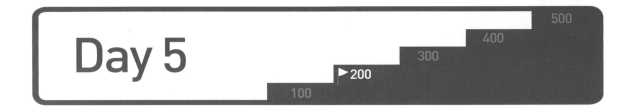

01 **article** [ɑ́ːrtikl] n. 기사, 물품, 조항
a magazine article 잡지 기사
the price of the article 물품 가격
article 1 제1조

02 **habitat** [hǽbətæ̀t] n. (동·식물) 서식지
an animal habitat 동물 서식지
★ a natural habitat 자연 서식지

03 **opinion** [əpínjən] n. 의견, 견해
a different opinion 다른 의견
㈠ view 의견, 견해
★ in my opinion 내 생각에는

04 **pity** [píti] n. 동정, 동정심
feel pity 동정심을 느끼다
ⓐ pitiful 가엾은

05 **data** [déitə] n. 자료, 정보
computer data 컴퓨터 자료

06 **slave** [sleiv] n. 노예
free the slaves 노예를 해방시키다
ⓝ slavery 노예제도

07 **detective** [ditéktiv] n. 탐정, 형사
a private detective 사설 탐정

08 **wealth** [welθ] n. 부, 재산, 재물
earn wealth 부를 획득하다
ⓐ wealthy 부유한

09 **breath** [breθ] n. 숨, 호흡
take a breath 숨을 들이쉬다
ⓥ breathe 숨쉬다

10 **triumph** [tráiəmf] n. 승리, 정복
triumph of love 사랑의 승리
㈠ victory 승리

11 **assistant** [əsístənt] n. 조수, 보조자
a lab assistant 실험실 조수
㈠ helper 조수 ⓝ assistance 보조, 원조

12 **interview** [íntərvjùː] v. 회견하다, 면접[인터뷰]하다
interview a movie star 영화배우를 인터뷰하다
ⓝ interviewer 면접관 interviewee 면접자

13 endanger [indéindʒər] v. 위험에 빠뜨리다   ⓐ endangered 멸종 위기에 처한
endanger the environment 환경을 위험에 빠뜨리다

14 spread [spred] v. 펴다, 펼치다
spread the wings 날개를 펼치다

15 appreciate [əprí:ʃièit] v. 감사하다, 감상하다   ⓝ appreciation 감사, 평가, 감상
appreciate very much 매우 감사하다
appreciate movies 영화를 감상하다

16 explain [ikspléin] v. 설명하다   ㊄ describe 말로 설명하다   ⓝ explanation 설명
explain a problem 문제를 설명하다

17 refuse [rifjú:z] v. 거절하다, 거부하다   ⓝ refusal 거절   ㊦ accept 수락하다
refuse an offer 제안을 거절하다

18 complete [kəmplí:t] v. 완성하다 a. 완전한   ㊦ incomplete 불완전한   ⓝ completion 완성
complete a form 양식을 완성하다

19 drown [draun] v. 익사하다   ⓐ drowned 물에 빠져 죽은
drown in water 물에 빠져 죽다

20 reply [riplái] v. 대답하다, 응답하다 n. 대답   ㊄ answer 대답하다
reply to the invitation 초대에 응하다
give a reply 대답하다

21 active [ǽktiv] a. 활동적인, 적극적인   ㊦ inactive 활동하지 않는
an active volcano 활화산

22 guilty [gílti] a. ~의 죄를 범한, 유죄의   ㊦ innocent 무죄의
feel guilty 죄의식을 느끼다

23 stale [steil] a. 싱싱하지 못한, 김빠진, 딱딱해진   ㊦ fresh 싱싱한
stale bread 딱딱해진 빵
stale beer 김빠진 맥주

24 own [oun] v. 소유하다 a. 자기 자신의, 고유한   ⓝ owner 임자, 소유자
own a car 자동차를 소유하다
my own house 내 소유의 집

25 well-known [wélnóun] a. 유명한, 잘 알려진   ㊄ famous 이름난
a well-known professor 유명한 교수

Exercise

Expression Check 다음 영어를 우리말로, 우리말을 영어로 바꾸시오.

1 a magazine article 　잡지 _____
2 a private detective 　사설 _____
3 own a car 　자동차를 _____
4 refuse an offer 　제안을 _____
5 spread the wings 　날개를 _____

6 유명한 교수 　a _____ professor
7 숨을 들이쉬다 　take a _____
8 문제를 설명하다 　_____ a problem
9 초대에 응하다 　_____ to the invitation
10 딱딱해진 빵 　_____ bread

Word Link 다음 빈칸에 알맞은 단어를 쓰시오.

11 pity : pitiful = 동정 : _____
12 refuse : _____ = 거절하다 : 수락하다
13 guilty : _____ = 유죄의 : 무죄의
14 complete : completion = 완성하다 : _____
15 slave : _____ = 노예 : 노예제도

16 wealth : wealthy = 부 : _____
17 stale : _____ = 상한 : 신선한
18 active : _____ = 활동적인 : 활동하지 않는
19 breath : breathe = 호흡 : _____
20 assistant : assistance = 조수 : _____

Sentence Practice 배운 단어를 사용하여 문장을 완성하시오.

21 그 형사가 도둑을 체포했다.　→ The _____ arrested a thief.
22 그 새는 날개를 펴서 날아갔다.　→ The bird _____ its wings and flew away.
23 그 농부는 노예를 풀어 주었다.　→ The farmer freed his _____ .
24 그 고양이는 상한 사료를 먹으려 하지 않았다.　→ The cat _____ to eat the _____ cat food.
25 그는 기사에 보다 많은 자료를 추가했다.　→ He added more _____ to the _____ .
26 선생님은 곰의 서식지에 대해 설명했다.　→ The teacher _____ about the _____ of bears.
27 그녀는 유명한 배우를 인터뷰했다.　→ She _____ the _____ actor.
28 그들은 팀의 승리를 축하했다.　→ They celebrated their team's _____ .
29 그의 조수가 우리의 질문에 대답을 했다.　→ His _____ _____ to our questions.
30 패스트푸드는 우리의 건강을 위태롭게 한다.　→ Fast food _____ our health.

Day 6

100 ▶200 300 400 500

01 attitude [ǽtitʃùːd] n. 태도, 자세
a selfish attitude 이기적인 태도

02 debt [det] n. 빚, 부채
pay a debt 빚을 갚다
　　　　　　　　　　　　　　　　ⓝ debtor 채무자

03 principle [prínsəpl] n. 원리, 원칙
a firm principle 확고한 원칙
　　　　　　　　　　　　　　　　★ in principle 원칙적으로

04 harbor [háːrbər] n. 항구, 항만
enter a harbor 입항하다
　　　　　　　　　　　　　　　　凰 port 항구

05 organization [ɔ̀ːrgənizéiʃən] n. 조직, 구성
a large organization 거대한 조직
　　　　　　　　　　　　　　　　ⓥ organize 조직하다

06 soil [sɔil] n. 흙, 토질, 토양
rich soil 비옥한 토양

07 dialect [dáiəlèkt] n. 방언, 사투리
a regional dialect 지방 사투리
　　　　　　　　　　　　　　　　★ speak (in) a dialect 사투리를 쓰다

08 wire [waiər] n. 철사, 전선, 전보
an electrical wire 전선
　　　　　　　　　　　　　　　　★ by wire 전보로

09 career [kəríər] n. 직업, 경력, 이력
a new career 새 직업
his singing career 그의 가수 경력
　　　　　　　　　　　　　　　　凰 job 직업

10 aim [əim] v. 겨누다, 목표로 삼다 n. 겨냥, 목적
aim an arrow 화살을 겨누다
achieve one's aim 목적을 달성하다

11 chief [tʃiːf] n. 우두머리 a. 최고의, 주요한
a fire chief 소방서장
a chief industry 주요 산업
　　　　　　　　　　　　　　　　★ in chief 우두머리의, 최고의

12 explore [iksplɔ́ːr] v. 탐험하다, 탐구하다
explore the South Pole 남극을 탐험하다
　　　　　　　　　　　　　　　　ⓝ exploration 탐사, 탐험

13 remove [rimúːv] v. 제거하다, 삭제하다   유 get rid of~ ~을 제거하다
remove a cover 표지를 떼어내다

14 connect [kənékt] v. 연결하다, 결합하다   반 separate 분리하다 n connection 연결, 결합
connect the parts 부품을 결합하다

15 edit [édit] v. 편집하다, 교정하다   n editor 편집자
edit a report 보고서를 편집하다

16 research [risə́ːrtʃ] v. 조사[연구]하다 n. 연구, 조사   유 examine 조사하다
research a problem 문제를 조사하다
scientific research 과학적인 연구

17 record [rikɔ́ːrd] v. 기록하다, 적어놓다 n. 최고 기록
record the information 정보를 기록하다
a world record 세계 기록

18 elect [ilékt] v. 선거하다, 선출하다   유 choose 선출하다, 고르다 n election 선거
elect a new mayor 새 시장을 선출하다

19 reduce [ridjúːs] v. 줄이다, 감소시키다   반 increase 증가하다 n reduction 감소
reduce effect 효과를 감소시키다

20 attend [əténd] v. 출석하다, 참석하다   반 be absent from ~에 결석하다
attend class 수업에 출석하다

21 ancient [éinʃənt] a. 고대의, 먼 옛날의   반 modern 현대의
an ancient city 고대 도시

22 hollow [hálou] a. 속이 빈, 공허한
a hollow tree 속이 빈 나무

23 steady [stédi] a. 확고한, 안정된, 한결같은, 끊임없는   유 stable 안정된
a steady income 안정된 수입
a steady rain 끊임없이 내리는 비

24 spare [spɛər] v.용서하다, 할애하다 a. 예비의
spare one's life 목숨을 살려주다
a spare tire 예비 타이어

25 unknown [ʌ̀nnóun] a. 알려지지 않은   반 famous 유명한
an unknown singer 무명가수

Exercise

Expression Check 다음 영어를 우리말로, 우리말을 영어로 바꾸시오.

1 a selfish attitude   이기적인 _____
2 a new career   새 _____
3 research a problem   문제를 _____
4 elect a new mayor   새 시장을 _____
5 spare one's life   목숨을 _____

6 지방 사투리   a regional _____
7 부품을 결합하다   _____ the parts
8 무명가수   an _____ singer
9 수업에 출석하다   _____ class
10 확고한 원칙   a firm _____

Word Link 다음 빈칸에 알맞은 단어를 쓰시오.

11 organization : organize = 조직 : _____
12 _____ : debt = 채무자 : 빚
13 elect : _____ = 선거하다 : 선거
14 ancient : _____ = 고대의 : 현대의
15 connect : separate = 연결하다 : _____

16 explore : exploration = 탐험하다 : _____
17 connect : _____ = 연결하다 : 연결
18 unknown : famous = 알려지지 않은 : _____
19 reduce : _____ = 감소하다 : 증가하다
20 harbor : port = 항구 : _____

Sentence Practice 배운 단어를 사용하여 문장을 완성하시오.

21 지진으로 고대문명이 파괴되었다.   → The _____ civilization was destroyed by the quake.
22 그는 심해를 탐사할 것이다.   → They are going to _____ the deep sea.
23 그는 빚을 줄이기 위해 열심히 일한다. → He works hard to _____ his _____.
24 우리는 학교 원칙에 따라야 한다.   → We have to follow the school's _____.
25 가수가 되는 것이 내 인생의 목표다.   → Being a singer is my _____ in life.
26 배는 미지의 항구로 향하고 있다.   → The ship is heading for the _____.
27 나는 지역 방언을 듣는 것에 익숙하다. → I am used to listening to the local _____.
28 우리는 그를 조직의 장으로 선출했다.   → We _____ him as a _____ of our _____.
29 그 운동선수는 작년에 세계 기록을 깼다. → The athlete broke the world _____ last year.
30 그들은 내가 회의에 참석하기를 바란다. → They want me to _____ the meeting.

Day 7

100 ▶200 300 400 500

01 **basis** [béisis] n. 기초, 근거
on the basis of age 나이를 근거로
㈌ base 토대, 기초
★ on a regular basis 정기적으로

02 **parliament** [páːrləmənt] n. 의회, 국회
English Parliament 영국 의회
㈌ congress 의회, 국회

03 **harmony** [háːrməni] n. 조화, 일치
play in harmony 조화를 이루다
ⓐ harmonious 조화된, 화목한

04 **reaction** [riːǽkʃən] n. 반응, 반작용
a quick reaction 빠른 반응
㈌ response 반응 ⓥ react 반응하다

05 **decoration** [dèkəréiʃən] n. 장식
Christmas decorations 크리스마스 장식
ⓥ decorate 장식하다

06 **site** [sait] n. 장소, 용지, 현장
a construction site 건축 현장
㈌ place 장소

07 **duty** [djúːti] n. 의무, 직무
military duty 국방의 의무
㈌ responsibility 의무, 책임

08 **zone** [zoun] n. 지역, 구역
a demilitarized zone(=DMZ) 비무장 지대

09 **citizen** [sítəzən] n. 국민, 시민
a Korean citizen 한국시민
ⓝ citizenship 시민권

10 **flame** [fleim] n. 불꽃, 불길, 화염
put out a flame 화염을 진압하다
㈌ fire 화재

11 **handle** [hǽndl] v. 처리하다, 다루다 n. 손잡이
hard to handle 다루기 힘든
the handle of a bike 자전거 손잡이
㈌ touch 만지다

12 **maintain** [meintéin] v. 지속하다, 유지하다
maintain grades 성적을 유지하다
㉠ end 끝내다, 마치다

13 engage [engéidʒ] v. 종사하다, 고용하다 　ⓝ engagement 약혼, 약속
engage a maid 하인을 고용하다
engage in conversation 대화에 참여하다

14 rescue [réskjuː] v. 구출하다, 구조하다 　ⓢ save 구하다
rescue an animal 동물을 구하다

15 respect [rispékt] v. 존경하다 n. 존경 　ⓐ respectful 존경하는
respect one's father 아버지를 존경하다
respect for the elderly 노인에 대한 존경

16 avoid [əvɔ́id] v. 피하다, 회피하다 　★ avoid V+ing 막다, 예방하다
avoid trouble 말썽을 피하다

17 fix [fiks] v. 고정시키다, 수리하다
fix a picture to the wall 그림을 벽에 고정시키다
fix a car 자동차를 수리하다

18 require [rikwáiər] v. 필요로 하다, 요구하다 　ⓝ requirement 요구
require a password 비밀번호를 필요로 하다

19 continue [kəntínjuː] v. 계속하다, 지속하다 　ⓐ stop 그만두다 ⓐ continually 계속해서
continue a discussion 토의를 계속하다

20 establish [istǽbliʃ] v. 설립하다, 개설하다 　ⓢ found 설립하다
establish a hospital 병원을 설립하다

21 broad [brɔːd] a. 폭이 넓은, 광대한 　ⓢ wide 넓은 ⓐ narrow 좁은
a broad river 폭이 넓은 강

22 holy [hóuli] a. 신성한, 성스러운
a holy man 성스러운 사람

23 slight [slait] a. 근소한, 약간의, 적은
a slight change 약간의 변화

24 chemical [kémikəl] a. 화학의, 화학적인 　ⓝ chemistry 화학
a chemical formula 화학 공식

25 wet [wet] a. 젖은, 덜 마른 　ⓐ dry 마른
wet clothes 젖은 옷

Exercise

Score /30

Expression Check 다음 영어를 우리말로, 우리말을 영어로 바꾸시오.

1 avoid trouble   말썽을 _____
2 a construction site   건축 _____
3 rescue an animal   동물을 _____
4 establish a hospital   병원을 _____
5 a chemical formula   _____ 공식

6 자동차를 수리하다   _____ a car
7 한국 시민   a Korean _____
8 노인에 대한 공경   _____ for the elderly
9 국방의 의무   military _____
10 젖은 옷   _____ clothes

Word Link 다음 빈칸에 알맞은 단어를 쓰시오.

11 harmony : _____ = 조화 : 화목한
12 duty : responsibility = 의무 : _____
13 maintain : _____ = 지속하다 : 끝내다
14 broad : _____ = 폭이 넓은 : 좁은
15 chemical : chemistry = 화학의 : _____

16 decoration : _____ = 장식 : 장식하다
17 react : _____ = 반작용하다 : 반작용
18 engage : _____ = 고용하다 : 약혼
19 _____ : requirement = 요구하다 : 요구
20 wet : _____ = 젖은 : 마른

Sentence Practice 배운 단어를 사용하여 문장을 완성하시오.

21 어린이 보호구역에서는 주차할 수 없습니다. → You can't park your car in a school _____.

22 나는 이웃과 사이좋게 살고 싶다. → I hope to live in _____ with my neighbors.

23 그가 여동생을 화재의 불길에서 구했다. → He _____ his sister from the fire's _____.

24 아버지가 문 손잡이를 방금 고치셨다. → My father has just _____ the door _____.

25 그들은 우정이 영원히 지속되기를 원한다. → They want to _____ their friendship forever.

26 저 화학 공장은 2002년도에 설립되었다. → The _____ factory was _____ in 2002.

27 그는 내게 선생님을 존경하라고 말씀하셨다. → He told me to _____ my teacher.

28 나는 크리스마스 장식을 벽에 고정시켰다. → I _____ Christmas _____ on the wall.

29 저 아이는 2시간 동안 계속해서 울었다. → The child _____ to cry for 2 hours.

30 저는 지금 근무 중입니다. → I'm on _____ now.

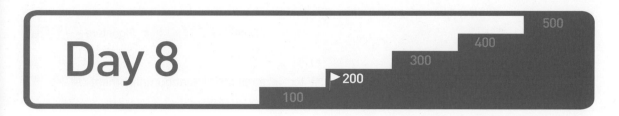

500
400
300
▶200
100

01 battle [bǽtl] n. 전투, 전쟁　　　　　　　윤 war 전쟁
a naval battle　해전

02 degree [digríː] n. 정도, 학위, (각·온도) 도
award a degree　학위를 수여하다

03 relative [rélətiv] n. 친척, 일가
a close relative　가까운 친척

04 honor [ánər] v. 존경[공경]하다 n. 명예, 경의　　윤 respect 존경하다
honor your parents　부모님을 공경하다
in honor of Princess Diana　Diana 황세자비에 경의를 표하며

05 equipment [ikwípmənt] n. 장비, 비품
buy some equipment　장비를 구입하다

06 situation [sìtʃuéiʃən] n. 상황, 입장, 처지
the present situation　현재 상황

07 enemy [énəmi] n. 적, 경쟁 상대　　　　　　반 friend 친구
fight an enemy　적과 싸우다

08 amount [əmàunt] n. 총액, 양　　　　　　　윤 quantity 양, 분량
a small amount of salt　소량의 소금

09 religion [rilídʒən] n. 종교, 신앙　　　　　윤 belief 믿음, 신앙 ⓐ religious 종교적인
the Hindu religion　힌두교

10 grain [grein] n. 곡물, 곡류, 낟알　　　　윤 cereal 곡물, 곡류
the chief grain of the region　지역의 주요 곡물

11 force [fɔːrs] v. 억지로 ~시키다, 강요하다 n. 힘, 체력 윤 power 힘
force a smile　억지로 미소 짓다
the forces of nature　자연의 힘

12 exist [igzíst] v. 존재하다, 실존하다, 있다　　ⓝ existence 존재, 실재
still exist today　오늘날에도 여전히 존재하다

13 **accomplish** [əkámpliʃ] v. 성취하다, 이루다　　凰 fail 실패하다　n accomplishment 성취, 완성
accomplish a goal 목표를 달성하다

14 **revolution** [rèvəlúːʃən] n. 혁명, 개혁
the French Revolution 프랑스 혁명

15 **choose** [tʃuːz] v. 선택하다, 고르다　　㋵ select 고르다　n choice 선택
choose a class 수업을 선택하다

16 **employ** [emplɔ́i] v. 고용하다, 사용하다　　㋵ hire 고용하다
employ a worker 일꾼을 고용하다　　n employee 고용인　employer 고용주

17 **return** [ritə́ːrn] v. 돌아가다, 반환하다　　㋵ come back 돌아가다
return to Korea 한국으로 돌아가다
return a book 책을 반납하다

18 **count** [kaunt] v. 세다, 계산하다　　㋵ calculate 계산하다
count money 돈을 세다

19 **express** [iksprés] v. 표현하다, 말로 나타내다　　n expression 표현
express an opinion 의견을 나타내다

20 **pause** [pɔːz] v.중단하다, 잠시 멈추다　n. 중지, 중단　　凰 continue 계속하다
pause for a moment 잠시 멈추다
a short pause 잠깐 멈춤

21 **common** [kámən] a. 공통의, 공동의　　★ in common 공동으로, 공통으로
a common language 공통 언어

22 **humble** [hʌ́mbəl] a. 겸손한, 겸허한　　凰 arrogant 오만한, 거만한
a humble man 겸손한 사람

23 **strict** [strikt] a. 엄격한, 엄한　　ad strictly 엄격히, 엄밀히
a strict teacher 엄격한 선생님

24 **eager** [íːgər] a. 열망하는, 몹시 ~하고 싶어하는　　ad eagerly 간절히, 열심히
an eager student 열심인 학생
eager to learn 몹시 배우고 싶어하는

25 **whole** [houl] a. 전체의, 모두의 n. 전부[전체]　　凰 part 부분, 일부
the whole world 전세계
as a whole 전체로써

Exercise

Expression Check 다음 영어를 우리말로, 우리말을 영어로 바꾸시오.

1 award a degree _____를 수여하다
2 a strict teacher _____ 선생님
3 return to Korea 한국으로 _____
4 a common language _____ 언어
5 the present situation 현재 _____

6 전세계 the _____ world
7 겸손한 사람 a _____ man
8 수업을 선택하다 _____ a class
9 잠시 멈추다 _____ for a moment
10 일꾼을 고용하다 _____ a worker

Word Link 다음 빈칸에 알맞은 단어를 쓰시오.

11 accomplish : _____ = 성취하다 : 실패하다
12 humble : arrogant = 겸손한 : _____
13 choose : choice = 선택하다 : _____
14 _____ : part = 전체 : 부분
15 pause : _____ = 멈추다 : 계속하다

16 strict : _____ = 엄한 : 엄격히
17 employ : _____ = 고용하다 : 고용인
18 express : expression = 표현하다 : _____
19 grain : cereal = 곡물 : _____
20 enemy : _____ = 적 : 친구

Sentence Practice 배운 단어를 사용하여 문장을 완성하시오.

21 그 회사는 젊고 겸손한 청년을 고용했다. → The company _____ a _____ young man.
22 그 나라의 혁명은 전쟁 후 시작되었다. → The country's _____ began after the war.
23 그는 지난 주에 새로운 사무 비품을 구매했다. → He bought new office _____ last week.
24 내 남동생은 100까지 셀 수 있다. → My little brother can _____ to 100.
25 내 친척 중 한 명은 그 전투에서 죽었다. → One of my _____ was killed at the _____.
26 적군이 사람들을 강제로 집에서 내쫓았다. → The _____ people out of their homes.
27 많은 양의 곡식이 헛간에 쌓여 있다. → A large _____ of _____ is stored in the barn.
28 그 일꾼은 쉬기 위해 잠시 멈췄다. → The worker _____ to take a break.
29 도시 전체가 그의 승리를 축하했다. → The _____ city celebrated his victory.
30 그들은 학교로 돌아가고 싶어한다. → They are _____ to _____ to school.

Review test Day 5 ~ Day 8

Date ▨▨▨▨▨▨▨ Signature ▨▨▨▨▨▨▨

A 올바른 답을 고르시오.

1 A place at the coast for ships is a —————————.
(a) detective   (b) harbor   (c) expression   (d) grain

2 A person related to members of your family is a(an) —————————.
(a) data   (b) debt   (c) relative   (d) principle

3 An army against you in a war is a(an) —————————.
(a) volunteer   (b) degree   (c) enemy   (d) battle

4 A language variation spoken in a certain region is a —————————.
(a) speech   (b) language   (c) custom   (d) dialect

5 To get rid of something or someone is to —————————.
(a) remove   (b) accomplish   (c) choose   (d) pause

B 다음 동의어를 연결하시오.

6 religion   ·   · ⓐ responsibility

7 duty   ·   · ⓑ found

8 reduce   ·   · ⓒ belief

9 establish   ·   · ⓓ decrease

10 choose   ·   · ⓔ select

C 다음 박스에서 알맞은 단어를 골라 빈칸을 채우시오. (필요한 경우 형태를 바꾸시오.)

elect	article	rescue	strict	return

11 Is there an interesting ▨▨▨▨▨▨▨ in the newspaper?

12 My friends ▨▨▨▨▨▨▨ me from drowning yesterday.

13 Many immigrants want to ▨▨▨▨▨▨▨ to their native country.

14 He is very ▨▨▨▨▨▨▨ to his children.

15 He was ▨▨▨▨▨▨▨ as a mayor last year.

D 다음 영어를 우리말로, 우리말을 영어로 바꾸시오.

16 article _____

17 opinion _____

18 detective _____

19 triumph _____

20 principle _____

21 dialect _____

22 connect _____

23 reduce _____

24 ancient _____

25 duty _____

26 citizen _____

27 maintain _____

28 respect _____

29 require _____

30 chemical _____

31 battle _____

32 honor _____

33 situation _____

34 choose _____

35 return _____

36 서식지 _____

37 노예 _____

38 회견하다 _____

39 토양 _____

40 편집하다 _____

41 ~에 출석하다 _____

42 의회, 국회 _____

43 불꽃, 화염 _____

44 구조하다 _____

45 피하다 _____

46 고정시키다 _____

47 젖은 _____

48 친척 _____

49 장비 _____

50 적 _____

51 곡물 _____

52 혁명 _____

53 고용하다 _____

54 표현하다 _____

55 반작용 _____

E 단어를 듣고 받아쓰시오.

56 _____

57 _____

58 _____

59 _____

60 _____

61 _____

62 _____

63 _____

64 _____

65 _____

66 _____

67 _____

68 _____

69 _____

70 _____

71 _____

72 _____

73 _____

74 _____

75 _____

76 _____

77 _____

78 _____

79 _____

80 _____

81 _____

82 _____

83 _____

84 _____

85 _____

Date [_____]   Signature [_____]

다음 영어를 우리말로, 우리말을 영어로 바꾸시오.

1 select _____ ☐☐
2 harbor _____ ☐☐
3 chemical _____ ☐☐
4 grand _____ ☐☐
5 research _____ ☐☐
6 harmony _____ ☐☐
7 anxious _____ ☐☐
8 explain _____ ☐☐
9 situation _____ ☐☐
10 force _____ ☐☐
11 voyage _____ ☐☐
12 opinion _____ ☐☐
13 equipment _____ ☐☐
14 rapid _____ ☐☐
15 accomplish _____ ☐☐
16 attend _____ ☐☐
17 plenty _____ ☐☐
18 express _____ ☐☐
19 announce _____ ☐☐
20 chief _____ ☐☐
21 handle _____ ☐☐
22 bottom _____ ☐☐
23 employ _____ ☐☐
24 reply _____ ☐☐
25 wealth _____ ☐☐

26 몇몇의 _____ ☐☐
27 태도 _____ ☐☐
28 국민, 시민 _____ ☐☐
29 예방하다 _____ ☐☐
30 조수 _____ ☐☐
31 친척 _____ ☐☐
32 치료하다 _____ ☐☐
33 의무 _____ ☐☐
34 소유하다 _____ ☐☐
35 발달시키다 _____ ☐☐
36 사투리 _____ ☐☐
37 피하다 _____ ☐☐
38 장식 _____ ☐☐
39 참을성 있는 _____ ☐☐
40 지속하다 _____ ☐☐
41 기사 _____ ☐☐
42 제거하다 _____ ☐☐
43 반작용 _____ ☐☐
44 혁명 _____ ☐☐
45 수단, 매개물 _____ ☐☐
46 겸손한 _____ ☐☐
47 노예 _____ ☐☐
48 종교 _____ ☐☐
49 선거하다 _____ ☐☐
50 계속하다 _____ ☐☐

Phrasal Verbs

+ give 주다

give away	수여하다, 공짜로 주다	He gave away all the money. 그는 모든 돈을 줘버렸다.
give back	돌려주다, 반환하다	I'll give it back to you soon. 그것을 곧 돌려줄게.
give out	나눠주다	They gave out candies to the children. 그들은 어린이들에게 사탕을 나누어 주었다.
give off	내뿜다, 발산하다	Cars give off a lot of dangerous gas. 자동차는 다량의 유독 가스를 내뿜는다.
give in	제출하다	You have to give in your report by Friday. 여러분은 금요일까지 보고서를 제출하셔야 합니다.

+ go 가다

go up	오르다, 상승하다	The temperature went up these days. 요즘 기온이 올랐다.
go over	위를 지나가다, 검토하다	I'll go over your report. 내가 네 보고서를 검토해 볼게.
go through	통과하다, 경험하다	I went through very difficult situations. 나는 매우 힘든 상황을 겪었다.
go down	내려가다, 하락하다	The cost of living will go down this year. 올해는 생활비가 줄 것이다.
go into	~으로 들어가다	Many people went into the gym. 많은 사람들이 체육관으로 들어갔다.

Check - up

1 They _____ _____ food to the homeless every day.
그들은 집 없는 사람들에게 매일 음식을 나누어 준다.

2 The rotten fish _____ _____ bad smell.
썩은 생선에서 악취가 난다.

3 The cost of living _____ _____ greatly last year.
지난해 생활비가 많이 올랐다.

4 The boss will _____ _____ my report soon.
상사가 곧 내 보고서를 검토할 것이다.

Part 3

Day 9

01 wildlife [wáildlàif] n. 야생생물
protect wildlife 야생생물을 보호하다

02 department [dipá:rtmənt] n. 한 부분, 부
the Department of Education 교육부
㈌ section 구분

03 resource [rí:sɔ:rs] n. 자원, 재원
natural resources 천연 자원

04 horizon [həráizən] n. 수평선, 지평선
below the horizon 수평선 아래에
㈌ skyline 지평선

05 feature [fí:tʃər] v.특징으로 하다 n. 특징, 용모
feature tasty dishes 맛있는 요리가 특색이다
a physical feature 신체적 특징
㈌ characteristic 특징

06 skill [skil] n. 솜씨, 기능, 기술
a man of skill 솜씨 있는 사람
㈌ ability 재능, 유능

07 environment [inváiərənmənt] n. 환경, 주위
social environment 사회적 환경
㈌ surroundings 주위, 환경

08 region [rí:dʒən] n. 지방, 지역
the Arctic region 북극 지방
㈌ area 지역, 지방

09 row [rou] v. 배를 젓다 n. 열, 줄
row across the river 배를 저어 강을 건너다
the first row 첫번째 줄

10 grave [greiv] n. 묘, 무덤
the family grave 가족 무덤
㈌ tomb 무덤, 묘

11 achieve [ətʃí:v] v. 성취하다, 이루다
achieve success 성공을 거두다
㈌ accomplish 성취하다, 이루다 ㈎ fail 실패하다
ⓝ achievement 성취

12 explode [iksplóud] v. 폭발하다, 터뜨리다
explode a bomb 폭탄을 터뜨리다
㈌ blow up 폭발하다 ⓝ explosion 폭발

13 **ruin** [rúːin] v. 파멸시키다, 파괴하다 n. 폐허, 유적   유 destroy 파괴하다
ruin her life 그녀의 인생을 망치다
the ruins of Pompeii 폼페이의 유적

14 **defend** [difénd] v. 방어하다, 지키다   유 protect 보호하다 n defense 방어
defend the country 나라를 지키다

15 **float** [flout] v. (물 위에) 뜨다, 떠오르다   반 sink 가라앉다
float on the water 물에 뜨다

16 **review** [rivjúː] v. 복습하다, 검토하다 n. 평론, 검토
review a report 보고서를 검토하다
movie reviews 영화 평론

17 **create** [kriéit] v. 창조하다, 창작하다   n creation 창조, 창작 a creative 창조적인
create music 음악을 만들다   ★ creature 생물, 동물

18 **guard** [gɑːrd] v. 지키다, 감시하다 n. 파수꾼, 보초
guard the prisoners 죄수들을 감시하다
a security guard 경비원

19 **inform** [infɔ́ːrm] v. 알리다, 알려주다   n information 정보
inform the police 경찰에 알리다

20 **comfortable** [kʌ́mfərtəbl] a. 편안한, 안락한   반 uncomfortable 불편한
a comfortable sofa 편안한 소파

21 **huge** [hjuːdʒ] a. 거대한   유 gigantic 거대한 반 tiny 작은
a huge ship 거대한 배

22 **such** [sʌtʃ] a. 그와 같은, 이러한   ★ such as 예컨데, ~와 같은
such a place 그와 같은 장소

23 **entire** [entáiər] a. 전부의, 전체의   유 whole 전부의
the entire family 가족 전부

24 **willing** [wíliŋ] a. 기꺼이 ~하는, 자진해서 하는
a willing worker 자발적으로 하는 일꾼
willing to pay 기꺼이 지불하는

25 **badly** [bǽdli] ad. 나쁘게, 서투르게, 몹시   반 well 잘, 훌륭하게
sing badly 서투르게 노래하다
want badly 몹시 원하다

Exercise

Expression Check 다음 영어를 우리말로, 우리말을 영어로 바꾸시오.

1 natural resources   천연 _____
2 social environment   사회적 _____
3 a physical feature   신체적 _____
4 a comfortable sofa   _____ 소파
5 the first row   첫번째 _____

6 북극 지방   the Arctic _____
7 나라를 지키다   _____ the country
8 죄수들을 감시하다   _____ the prisoners
9 거대한 배   a _____ ship
10 가족 전부   the _____ family

Word Link 다음 빈칸에 알맞은 단어를 쓰시오.

11 achieve : _____ = 성취하다 : 성취
12 badly : _____ = 나쁘게 : 훌륭하게
13 inform : information = 알리다 : _____
14 huge : tiny = 거대한 : _____
15 defend : defense = 방어하다 : _____

16 create : _____ = 창조하다 : 창조적인
17 explode : _____ = 폭발하다 : 폭발
18 comfortable : _____ = 편안한 : 불편한
19 float : _____ = 물에 뜨다 : 가라앉다
20 horizon : skyline = 수평선 : _____

Sentence Practice 배운 단어를 사용하여 문장을 완성하시오.

21 우리 부서는 멸종위기의 야생생물을 돌본다. → Our _____ cares for endangered _____.
22 우리는 천연 자원을 보호해야 한다. → We must _____ our natural _____.
23 로비에 있는 커다란 소파는 매우 편안하다. → The _____ sofa in the lobby is very _____.
24 폭탄이 깊은 동굴 속에서 터졌다. → A bomb _____ inside a deep cave.
25 그는 극장 맨 잎줄에 앉아 있나. → He is sitting on the front _____ of the theater.
26 수평선 위로 태양이 떠오르고 있다. → The sun is rising above the _____.
27 작년에 우리 반 전체가 좋은 성적을 받았다. → My _____ class _____ very good grades last year.
28 그는 기꺼이 나의 제안을 받아들였다. → He was _____ to accept my offer.
29 우리는 오랫동안 환경을 파괴해왔다. → We have _____ the _____ for a long time.
30 마을 전체가 태풍으로 파괴되었다. → The _____ village was destroyed by the hurricane.

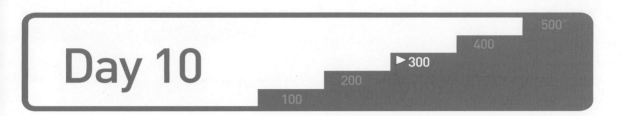

Day 10

🎧

01 tribe [traib] n. 부족, 종족
an Indian tribe 인디언 부족
ⓐ tribal 종족의, 부족의

02 border [bɔ́ːrdər] n. 가장자리, 국경, 경계
cross a border 국경을 넘다
★ on the border of~ ~에 접하여, ~의 경계에

03 detail [díːteil] n. 세부, 항목
list details 세부 사항의 목록을 작성하다
★ in detail 상세하게

04 response [rispáns] n. 응답, 대답
give a response 대답하다
ⓨ answer 대답 ⓥ respond 응답하다

05 fellow [félou] n. 사나이, 녀석 a. 동무의, 동료의
a lazy fellow 게으른 녀석
fellow students 동료 학생들
ⓨ colleague 동료

06 span [spæn] n. 기간, (사람의) 생존 기간
life span 수명
ⓨ period 기간

07 fame [feim] n. 명성, 평판
good fame 좋은 평판
ⓨ reputation 명성, 평판 ⓐ famous 유명한

08 traditional [trədíʃənəl] a. 전통적인, 전통의
a traditional custom 전통적인 관습
ⓨ conventional 전통적인 ⓝ tradition 전통

09 rinse [rins] v. 헹구어 내다, 씻어내다
rinse the dishes 접시를 헹구다

10 decide [disáid] v. 결심하다, 결정하다
decide to become a pilot 조종사가 되기로 결심하다
ⓨ determine 결심하다, 결정하다
ⓝ decision 결정, 결심

11 increase [inkríːs] v. 증가하다, 늘리다 n. 증가
increase an amount 양을 늘리다
a high increase 높은 증가
ⓟ decrease 줄어들다

12 flow [flou] v. 흐르다, 흘러나오다
flow fast 빠르게 흐르다

13 **deny** [dinái] v. 부인하다, 거절하다
deny responsibility 책임을 부인하다
  반 admit 인정하다 n denial 부정, 부인

14 **rotate** [róuteit] v. 회전하다, 교대하다
The earth rotates. 지구는 자전한다.
  유 turn 회전하다 n rotation 회전, 순환

15 **gather** [gǽðər] v. 모으다[모이다], 채집하다
gather sticks for fire 불을 피우기 위해 나뭇가지를 모으다
  유 collect 모으다

16 **adjust** [ədʒʌ́st] v. 조절하다, ～에 적응하다
adjust the equipment 장비를 조절하다
adjust to a new environment 새로운 환경에 적응하다

17 **civil** [sívəl] a. 시민의, 사회의
civil spirit 시민정신
  유 civic 시민의 n civilian 일반 시민, 민간인

18 **illegal** [ilíːgəl] a. 불법의
illegal actions 불법 행위
  반 legal 합법의

19 **sudden** [sʌ́dn] a. 갑작스러운, 뜻밖의
a sudden change 갑작스러운 변화
  ad suddenly 갑자기

20 **equal** [íːkwəl] a. 같은, 동등한
Two plus two is equal to four. 2 더하기 2는 4이다.
  반 unequal 같지 않은, 동등하지 않은
  n equality 동등, 평등

21 **worse** [wəːrs] a. 더 나쁜, 악화된
worse than before 이전보다 더 나쁜
make worse 악화시키다
  반 better 더 좋은

22 **beside** [bisáid] prep. ～ 옆에서
beside a tree 나무 옆에서

23 **frequently** [fríːkwəntli] ad. 자주, 종종
visit him frequently 그를 자주 방문하다
  유 often 자주, 종종 a frequent 빈번한

24 **throughout** [θruːàut] prep. ～도처에, ～동안
throughout the world 전 세계에
throughout the day 하루 종일

25 **via** [váiə] prep. ～를 거쳐, ～를 경유해서
via Japan 일본을 경유해서

Exercise

Expression Check 다음 영어를 우리말로, 우리말을 영어로 바꾸시오.

1 an Indian tribe 인디언 _____
2 a traditional custom _____ 관습
3 a sudden change 갑작스러운 _____
4 civil spirit _____ 정신
5 flow fast 빠르게 _____

6 책임을 부인하다 _____ responsibility
7 불법 행위 _____ actions
8 국경을 넘다 cross a _____
9 일본을 경유해서 _____ Japan
10 접시를 헹구다 _____ the dishes

Word Link 다음 빈칸에 알맞은 단어를 쓰시오.

11 response : respond = 응답 : _____
12 increase : _____ = 증가하다 : 줄어들다
13 worse : better = 더 나쁜 : _____
14 sudden : _____ = 갑작스러운 : 갑자기
15 deny : admit = 부인하다 : _____

16 decide : _____ = 결정하다 : 결정
17 equal : unequal = 동등한 : _____
18 illegal : _____ = 불법의 : 합법의
19 civil : civilian = 시민의 : _____
20 fame : famous = 명성 : _____

Sentence Practice 배운 단어를 사용하여 문장을 완성하시오.

21 그 부족은 그들만의 전통적 관습이 있다. → The _____ has their own _____ custom.
22 시장은 서둘러 자신의 실수를 부인했다. → The mayor quickly _____ his mistakes.
23 적군이 종종 국경 주변에 나타난다. → The enemies _____ appear around the _____.
24 그의 상태는 생각했던 것보다 좋지 않다. → His condition is _____ than I expected.
25 그는 LA를 경유해서 캐나다에 가기로 결정했다. → He _____ to go to Canada _____ LA.
26 그녀는 갑작스런 변화에 적응하는 데 실패했다. → She failed to _____ herself to a _____ change.
27 그들은 동등한 학습의 기회를 요구했다. → They asked for an _____ opportunity to study.
28 나는 그에게서 대답을 듣지 못했다. → I didn't get any _____ from him.
29 종업원들은 봉급이 인상되기를 원한다. → The employees want to _____ their salaries.
30 청소년에게 담배를 파는 것은 불법이다. → It is _____ to sell tobaccos to teenagers.

Day 11

01 **balance** [bǽləns] v. 균형[평형]을 잡다 n. 균형   ★ keep[lose] one's balance 균형을 잡다[잃다]
a good sense of balance 뛰어난 균형 감각
balance work and family 일과 가정의 균형을 이루다

02 **assignment** [əsáinmənt] n. 임무, 숙제   ㈌ task 일, 임무 homework 숙제
finish assignment 할당된 일을 끝내다   ⓥ assign 할당하다

03 **burden** [bə́:rdn] v. 짐을 지우다, 부담을 주다 n.짐[부담]
burden her with my problem 그녀에게 내 문제로 부담을 주다
a heavy burden 무거운 짐

04 **disaster** [dizǽstər] n. 재해, 재앙, 대참사   ㈌ catastrophe 큰 재해, 대참사
a natural disaster 자연 재해

05 **responsibility** [rispànsəbíləti] n. 책임, 의무   ㈌ duty 의무 ⓐ responsible 책임이 있는
avoid responsibility 책임을 회피하다   ★ take the responsibility for~ ~의 책임을 지다

06 **horror** [hɔ́:rər] n. 공포, 전율   ㈌ fear 두려움, 공포 ⓐ horrible 무서운, 끔찍한
a horror movie 공포 영화   ★ in horror 오싹하여, 무서워서

07 **female** [fí:meil] n. 여성, 암컷 a.여성[암컷]의   ㈐ male 남성, 수컷, 남성[수컷]의
a young rich female 젊고 부유한 여성
a female flower 암꽃

08 **structure** [strʌ́ktʃər] v. 구성[조직]하다 n.구조, 조직
structure a program 프로그램을 구성하다
the structure of the human body 인체의 구조

09 **fate** [feit] n. 운명, 숙명   ㈌ destiny 운명
change one's fate 운명을 바꾸다   ★ accept one's fate 운명을 감수하다

10 **literature** [lítərətʃər] n. 문학   ⓐ literal 글자 그대로의, 문자상의
French literature 불문학

11 **alien** [éiljən] n. 외국인, 외계인 a. 외국(인)의   ㈌ foreign 외국의 foreigner 외국인
an alien from space 우주에서 온 외계인
an alien environment 이질적인 환경

12 grocery [gróusəri] n. 식료 잡화점, 식료 잡화류(~ies)
a grocery store 식료품점

13 import [impɔ́ːrt] v. 수입하다 n. 수입, 수입품   땐 export 수출하다, 수출, 수출품
import cars 차를 수입하다
car imports 자동차 수입

14 adopt [ədápt] v. 채택[채용]하다, 입양하다
adopt a plan 계획을 채택하다

15 separate [sépərèit] v. 가르다, 분리하다   윤 divide 나누다 n separation 분리
separate the egg yolk from the white 흰자와 노른자를 분리하다

16 bury [béri] v. 묻다, 매장하다   땐 dig 파다 n burial 매장(식)
bury a bone 뼈를 묻다

17 fold [fould] v. 접다, 접어 개다   땐 unfold 펴다
fold the paper 종이를 접다

18 rise [raiz] v. 일어나다, (해·달 등이) 뜨다 n. 오름, 상승 윤 increase 증가하다, 증가 땐 drop, fall 떨어지다
rise from a seat 자리에서 일어나다
a rise in price 가격 상승

19 delay [diléi] v. 늦추다, 연기하다 n. 지연, 연기   윤 put off, postpone 연기하다
delay a meeting 회의를 연기하다   ★without any delay 지체 없이, 바로
long delays 장시간의 지연

20 certain [sə́ːrtən] a. 확신하는, 틀림없는   윤 sure 확실한, 확신하고 있는 땐 uncertain 불확실한
feel certain 확신하다   ★make certain 확인하다

21 thick [θik] a. 두꺼운, 굵은   땐 thin 얇은 n thickness 두꺼움, 두께
a thick rug 두툼한 융단

22 incredible [inkrédəbəl] a. 놀라운, 믿어지지 않는   윤 amazing 놀라운 땐 credible 믿을 만한
an incredible story 믿어지지 않는 이야기

23 exact [igzǽkt] a. 정확한   윤 accurate, correct 정확한 ad exactly 정확하게
an exact amount 정확한 양

24 tiny [táini] a. 작은, 조그마한   땐 huge 거대한
a tiny insect 조그마한 곤충   ★a tiny bit 아주 조금

25 unless [ənlés] conj. 만약 ~이 아니라면   윤 if 만약 ~라면
unless he tells a lie 만약 그가 거짓말을 하지 않는다면

Exercise

Expression Check 다음 영어를 우리말로, 우리말을 영어로 바꾸시오.

1 structure a program　　프로그램을 _____

2 avoid responsibility　　_____을 회피하다

3 a natural disaster　　자연 _____

4 adopt a plan　　계획을 _____

5 a incredible story　　_____ 이야기

6 확신하다　　feel _____

7 운명을 바꾸다　　change one's _____

8 우주에서 온 외계인　　an _____ from space

9 조그마한 곤충　　a _____ insect

10 불문학　　French _____

Word Link 다음 빈칸에 알맞은 단어를 쓰시오.

11 thick : _____ = 두꺼운 : 두께

12 _____ : fold = 펴다 : 접다

13 exact : exactly = 정확한 : _____

14 import : _____ = 수입 : 수출

15 dig : bury = _____ : 묻다

16 tiny : _____ = 작은 : 거대한

17 assignment : _____ = 할당 : 할당하다

18 fall : rise = _____ : 상승하다

19 responsibility : responsible = 책임 : _____

20 _____ : female = 남성 : 여성

Sentence Practice 배운 단어를 사용하여 문장을 완성하시오.

21 나의 전공은 영문학이다.　→ My major is English _____.

22 그의 회사는 보통 미국에서 잡화를 수입한다.　→ His company usually _____ from the U.S.

23 작은 다람쥐가 흙 속에 나무 열매를 묻었다.　→ The _____ squirrel _____ the nut in the soil.

24 나는 휴가를 연기할 것이다.　→ I will _____ my vacation.

25 네가 맡은 임무에 대한 책임을 져야 한다.　→ You must take _____ for your _____.

26 그 소년은 젖은 바닥에서 균형을 잃었다.　→ The boy lost his _____ on the wet floor.

27 쓰나미는 믿을 수 없는 대참사였다.　→ The tsunami was a _____.

28 그 공포영화는 여성 관객을 겨냥해 만들어졌다.　→ The _____ movie was made for _____ audiences.

29 석유 가격의 상승은 사람들에게 부담이 된다.　→ A _____ in oil price is a _____ on people.

30 그 부부는 중국 아이를 입양하기로 결정했다.　→ The couple decided to _____ a Chinese child.

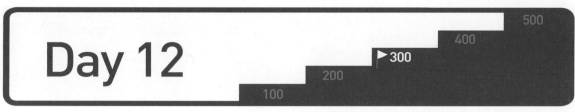

Day 12

▶300 400 500
100 200

01 **cell** [sel] n. 작은 방, 세포, 감방
a prison cell 형무소의 독방
a human cell 인간 세포

02 **disease** [dizíːz] n. 병, 질병
a serious disease 중병
윤 illness 병, 질병
★ die of disease 병으로 죽다

03 **result** [rizʌ́lt] v. (결과로서) 생기다, 귀착하다 n. 결과
result in success 성공하다
a result of the match 경기의 결과
반 cause 원인
★ as a result 그 결과

04 **beverage** [bévəridʒ] n. 마실 것, 음료
a snack and beverage 스낵과 음료
an alcoholic beverage 알코올 음료
윤 drink 음료

05 **commit** [kəmít] v. (죄·과실 등을) 저지르다
commit a crime 범죄를 저지르다

06 **harvest** [háːrvist] v. 수확하다 n. 수확, 추수
harvest a crop 농작물을 수확하다
a rich harvest 풍작

07 **favor** [féivər] v. 호의를 보이다, 찬성하다 n. 부탁
ask a favor 부탁을 하다
favor a change 변화에 찬성하다
ⓐ favorable 호의적인

08 **refund** [ríːfʌnd] v. 갚다, 환불하다 n. 환불
refund money 돈으로 환불하다
get a refund 환불 받다

09 **purpose** [pə́ːrpəs] n. 목적, 용도, 의도
achieve one's purpose 목적을 달성하다
★ on purpose 고의로

10 **individual** [ìndəvídʒuəl] n. 개인, 개체 a. 개개의
individual and society 개인과 사회
an individual event 각각의 행사

11 **admire** [ædmáiər] v. 감탄하다, 높이 평가하다
admire his honesty 그의 정직함을 높이 평가하다
윤 respect 존경하다 ⓝ admiration 감탄, 흠모

12   settle [sétl] v. 놓다, 설치하다, 정착하다
settle in a country 시골에 정착하다

13   rob [rɑb] v. 강탈하다, (은행·가게 등을) 털다   ⓝ robbery 강도, 약탈
rob a bank 은행을 털다

14   forgive [fərgív] v. 용서하다   ⓝ forgiveness 용서, 면제
forgive a sin 죄를 용서하다

15   carry [kǽri] v. 운반하다, 가지고 가다, 지니다   ⓝ carrier 운반인, 운반기
carry a box 상자를 운반하다

16   hesitate [hézətèit] v. 주저하다, 망설이다   ⓝ hesitation 주저, 망설임
hesitate to tell 말하기를 주저하다

17   affect [əfékt] v. 영향을 미치다, 작용하다
affect one's health 건강에 영향을 미치다

18   sigh [sai] v. 한숨 쉬다, 탄식하다   ★ sigh with relief 안도의 한숨을 쉬다
sigh deeply 깊은 한숨을 쉬다

19   brief [bri:f] a. 짧은, 단시간의   ⑲ short 짧은   ⑪ long 긴
a brief lecture 짧은 강연

20   lunar [lú:nər] a. 달의, 달 같은   ⑪ solar 태양의, 태양에 관한
a lunar eclipse 월식

21   thirsty [θə́:rsti] a. 목마른   ⓝ thirst 갈증, 목마름
a thirsty child 목이 마른 아이

22   extra [ékstrə] a. 여분의, 규격보다 큰 n. 여분의 것
an extra cost 추가 비용
buy some extra 여분의 것을 사다

23   fit [fít] v. 들어맞다, (의복이) 꼭 맞다 a. 적당한   ⑪ unfit 부적당한, 부적당하게 만들다
fit a situation 상황에 들어맞다
a fit answer 적당한 대답

24   gradually [grǽdʒuəli] ad. 차츰, 서서히   ⑲ steadily 꾸준히   ⓐ gradual 점진적인
gradually grow 서서히 자라다

25   hardly [há:rdli] ad. 거의 ~하지 않다
hardly know 거의 모른다

Exercise

Expression Check 다음 영어를 우리말로, 우리말을 영어로 바꾸시오.

1 settle in a country   시골에 _____

2 forgive a sin   죄를 _____

3 refund money   돈으로 _____

4 admire his honesty   그의 정직함을 _____

5 carry a box   상자를 _____

6 범죄를 저지르다   _____ a crime

7 추가 비용   an _____ cost

8 거의 모르다   _____ know

9 중병   a serious _____

10 풍작   a rich _____

Word Link 다음 빈칸에 알맞은 단어를 쓰시오.

11 _____ : brief = 긴 : 짧은

12 rob : _____ = 강탈하다 : 강도

13 favor : favorable = 호의 : _____

14 lunar : _____ = 달의 : 태양의

15 gradual : gradually = _____ : 서서히

16 result : _____ = 결과 : 원인

17 admire : admiration = 감탄하다 : _____

18 _____ : thirsty = 갈증 : 목마른

19 fit : _____ = 적당한 : 부적당한

20 carry : carrier = 운반하다 : _____

Sentence Practice 배운 단어를 사용하여 문장을 완성하시오.

21 목이 마른 남자는 음료수를 더 주문했다.   → The _____ man ordered more _____.

22 소녀는 잠시 망설였다.   → The girl _____ for a moment.

23 개개인은 인생에서 자신만의 목적을 가진다.   → Each _____ has his or her _____ in life.

24 그 병은 그녀의 건강에 영향을 미쳤다.   → The _____ has _____ her health.

25 그는 그녀의 작업 결과를 높이 샀다.   → He _____ the _____ of her work.

26 이 셔츠를 환불 받고 싶어요.   → I want to get a _____ for this shirt.

27 모든 인간 세포는 두 종류의 DNA를 지닌다.   → All human _____ have two kinds of DNA.

28 내가 실수를 저질렀지만 그는 나를 용서해주었다. → I made a mistake and he _____ me.

29 한국인들은 오랫동안 음력을 사용해왔다.   → Koreans have used a _____ calendar for ages.

30 Jason은 한숨을 깊게 쉬고 고개를 흔들었다.   → Jason _____ deeply and shook his head.

Date [   ] Signature [   ]

A 올바른 답을 고르시오.

1 To study or examine again is to ———————————.
   (a) decide   (b) review   (c) adopt   (d) affect

2 Feeling fear or shock is a ———————————.
   (a) balance   (b) skill   (c) span   (d) horror

3 To bring in goods from overseas for sale is to ———————————.
   (a) settle   (b) create   (c) import   (d) achieve

4 A group of people of the same race, language, and customs is a(an) ———————————.
   (a) border   (b) alien   (c) fellow   (d) tribe

5 A bad accident causing great damage is a ———————————.
   (a) burden   (b) horizon   (c) disaster   (d) wildlife

B 다음 동의어를 연결하시오.

6 entire   •
7 disease   •
8 delay   •
9 fate   •
10 achieve   •

• ⓐ accomplish
• ⓑ destiny
• ⓒ illness
• ⓓ whole
• ⓔ put off

C 다음 박스에서 알맞은 단어를 골라 빈칸을 채우시오. (필요한 경우 형태를 바꾸시오.)

| traditional | unless | hesitate | ruin | responsibility |

11 [   ] you work hard, you will fail.

12 James [   ] to ask her out for dinner.

13 Their [   ] is to defend a country from a foreign attack.

14 It is [   ] in Korea to eat rice cake soup on New Year's Day.

15 A sudden earthquake [   ] the whole city last year.

D 다음 영어를 우리말로, 우리말을 영어로 바꾸시오.

16 create _____

17 hardly _____

18 balance _____

19 span _____

20 refund _____

21 wildlife _____

22 purpose _____

23 gather _____

24 female _____

25 increase _____

26 exact _____

27 region _____

28 lunar _____

29 horizon _____

30 throughout _____

31 rob _____

32 inform _____

33 burden _____

34 feature _____

35 admire _____

36 부인하다 _____

37 문학 _____

38 분리하다 _____

39 재앙 _____

40 자원, 재원 _____

41 수확, 추수 _____

42 같은, 동등한 _____

43 경계, 국경 _____

44 외계인 _____

45 확신하는 _____

46 폭발하다 _____

47 목마른 _____

48 조절하다 _____

49 ~옆에서 _____

50 조그마한 _____

51 편안한 _____

52 갑작스러운 _____

53 용서하다 _____

54 응답, 대답 _____

55 마실 것 _____

E 단어를 듣고 받아쓰시오.

56 _____	66 _____	76 _____
57 _____	67 _____	77 _____
58 _____	68 _____	78 _____
59 _____	69 _____	79 _____
60 _____	70 _____	80 _____
61 _____	71 _____	81 _____
62 _____	72 _____	82 _____
63 _____	73 _____	83 _____
64 _____	74 _____	84 _____
65 _____	75 _____	85 _____

Accumulative test Day 1~ Day 12

A	B	C	D
50~41	40~31	30~21	20~미만

Date _____ Signature _____

다음 영어를 우리말로, 우리말을 영어로 바꾸시오.

1 sight _____ ☐☐

2 raw _____ ☐☐

3 border _____ ☐☐

4 unknown _____ ☐☐

5 common _____ ☐☐

6 refund _____ ☐☐

7 active _____ ☐☐

8 fate _____ ☐☐

9 harvest _____ ☐☐

10 grave _____ ☐☐

11 adjust _____ ☐☐

12 error _____ ☐☐

13 affect _____ ☐☐

14 semester _____ ☐☐

15 bury _____ ☐☐

16 entire _____ ☐☐

17 hesitate _____ ☐☐

18 establish _____ ☐☐

19 horror _____ ☐☐

20 ruin _____ ☐☐

21 civil _____ ☐☐

22 trial _____ ☐☐

23 fame _____ ☐☐

24 span _____ ☐☐

25 notice _____ ☐☐

26 나타나다 _____ ☐☐

27 환경 _____ ☐☐

28 연기하다, 늦추다 _____ ☐☐

29 신성한 _____ ☐☐

30 먹이를 주다 _____ ☐☐

31 고대의 _____ ☐☐

32 야생생물 _____ ☐☐

33 목적, 용도 _____ ☐☐

34 거절하다 _____ ☐☐

35 짐 _____ ☐☐

36 전통적인 _____ ☐☐

37 곡물, 낟알 _____ ☐☐

38 병 _____ ☐☐

39 기간, 시기 _____ ☐☐

40 증가하다 _____ ☐☐

41 문학 _____ ☐☐

42 존경하다 _____ ☐☐

43 책임 _____ ☐☐

44 개인 _____ ☐☐

45 원정, 탐험 _____ ☐☐

46 불법의 _____ ☐☐

47 차츰, 서서히 _____ ☐☐

48 유죄의 _____ ☐☐

49 달의 _____ ☐☐

50 알리다 _____ ☐☐

Phrasal Verbs

+ look 보다

look after ～를 돌보다
I will have to look after my younger brother tomorrow.
나는 내일 내 동생을 돌봐야 한다.

look at ～을 보다
He is looking at the door.
그는 문을 바라보고 있다.

look into ～를 조사하다, 살피다
They're going to look into the proposal.
그들은 그 제안을 검토할 것이다.

look out 밖을 보다, 조심하다
The students are looking out the window.
학생들은 창문 밖을 바라보고 있다.

look for ～을 찾다
I am looking for my gloves.
나는 장갑을 찾고 있다.

+ call 부르다

call for ～을 요청하다
The guests called for more pillows.
손님들은 베개를 더 달라고 요청했다.

call off ～을 취소하다
We called off the concert due to the heavy snow.
우리는 폭설 때문에 연주회를 취소했다.

call on ～를 방문하다
I'll call on you tomorrow.
제가 내일 당신을 방문하겠습니다.

call up ～에게 전화를 걸다
I'll call you up tomorrow.
내가 내일 전화할게.

call back 회신전화를 하다
He asked me to call him back immediately.
그는 내게 즉시 전화를 해달라고 부탁했다.

Check - up

1 What are you _____ _____?
무엇을 찾고 있습니까?

2 I need a person to _____ _____ my brother.
동생을 돌봐줄 사람이 필요하다.

3 The game was _____ _____ because of the rain.
경기가 비 때문에 취소됐다.

4 I will _____ you _____ when I finish my homework.
숙제 끝나면 전화할게.

Part 4

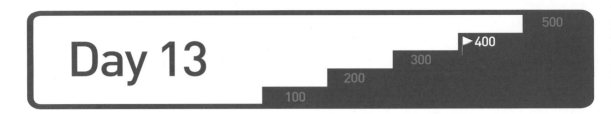

Day 13

01 **spirit** [spírit] n. 정신, 마음, 영혼
a spirit of adventure 모험 정신
flesh and spirit 영혼과 육체
⊕ soul 영혼, 정신 ⓐ spiritual 정신적인

02 **source** [sɔːrs] n. 근원, 원천
the source of energy 에너지원
⊕ origin 근원, 원천

03 **cemetery** [sémətèri] n. 공동 묘지
a city cemetery 시 공동 묘지
⊕ graveyard 묘지

04 **distance** [dístəns] n. 거리, 간격
a short distance 단거리
ⓐ distant 먼, 원격의
★ in the distance 먼 곳에

05 **independence** [ìndipéndəns] n. 독립, 자주
fight for your independence 독립을 위해 싸우다
⊞ dependence 의지, 의존 ⓐ independent 독립한

06 **figure** [fígjər] v. 숫자로 나타내다, 계산하다 n. 숫자
figure up a total 합계를 내다
sales figures 판매액
★ figure out 계산하다, 생각해 내다

07 **reward** [riwɔ́ːrd] v. 보답하다, 보상하다 n. 보상, 상
reward him for his trouble 그의 수고에 보답하다
a reward for her efforts 그녀의 노력에 대한 보상
★ in reward of[for]~ ~에 대한 보상으로

08 **knowledge** [nálidʒ] n. 지식, 학식
look for knowledge 지식을 추구하다
ⓥ know 알다

09 **adult** [ədʌ́lt] n. 어른, 성인 a. 성장한, 성숙한
Adults Only 미성년자 입장불가
become an adult 성인이 되다

10 **telescope** [téləskòup] n. 망원경
look through a telescope 망원경으로 보다
★ microscope 현미경

11 **discipline** [dísəplin] v. 훈련[징계]하다 n. 규율
school discipline 학교 규율
ⓐ disciplinary 훈련의, 규율의, 징계의

12 **afford** [əfɔ́ːrd] v. ~할 수 있다, ~할 여유가 있다
afford to buy a house 집을 살 여유가 있다

13   **squeeze** [skwiːz] v. 압착하다, 짜내다   n. 압착, 짜냄   爾 press 누르다, 짜다

squeeze the oranges   오렌지를 짜다

give the tube another squeeze   튜브를 한번 더 눌러 짜다

14   **belong** [bilɔ́(ː)ŋ] v. (~에) 속하다, (~의) 소유물이다   n belonging 소유물, 재산

belong to you   너의 것이다

15   **glow** [glou] v. 빛을 내다, 빛나다   n. 빛, 백열   a glowing 백열[작렬]하는

glow in the dark   어둠 속에서 빛나다

an evening glow   저녁 노을

16   **rot** [rɑt] v. 썩다, 부패하다   n. 부패, 부식   爾 decay 썩다

begin to rot   썩기 시작하다

be full of rot   모두 썩다

17   **share** [ʃɛər] v. 나누다, 공유하다   n. 몫, 할당량   爾 divide 나누다

share a cost   비용을 나누다

my share of cake   내 몫의 케이크

18   **admit** [ædmít] v. 입장을 허락하다, 인정하다   n admission 입장(을 허락함)

admit children   아이들의 입장을 허락하다

admit a mistake   실수를 인정하다

19   **born** [bɔːrn] a. 타고난, 선천적인   ★ be born 태어나다

a born musician   타고난 음악가

20   **practical** [prǽktikəl] a. 실제의, 실제적인, 실용적인   팬 impractical 비실용적인

practical skills   실질적인 기술

21   **thread** [θred] v. 실을 꿰다   n. 실   ★ needle 바늘

thread a needle   바늘에 실을 꿰다

cotton thread   무명실

22   **false** [fɔːls] a. 옳지 못한, 거짓의   팬 true 사실의   correct 옳은

a false alarm   허위 화재 경보(신고)

23   **tight** [tait] a. 단단한, (옷 등이) 꽉 끼는   팬 loose 풀린, 헐렁헐렁한

a tight dress   몸에 꽉 끼는 드레스

24   **instead** [instéd] ad. 대신에, 그보다는

instead of a book   책 대신에

25   **nearly** [níərli] ad. 거의, 대략   爾 almost 거의

nearly empty   거의 텅 빈

Exercise

Expression Check 다음 영어를 우리말로, 우리말을 영어로 바꾸시오.

1 glow in the dark   어둠 속에서 _____
2 cotton thread   무명_____
3 a short distance   단_____
4 school discipline   학교 _____
5 nearly empty   _____ 텅 빈

6 에너지원   the _____ of energy
7 시 공동묘지   a city _____
8 오렌지를 짜다   _____ the oranges
9 책 대신에   _____ of a book
10 비용을 나누다   _____ a cost

Word Link 다음 빈칸에 알맞은 단어를 쓰시오.

11 discipline : _____ = 징계 : 징계의
12 false : _____ = 옳지 않은 : 옳은
13 _____ : distance = 먼 : 거리
14 rot : decay = 썩다 : _____
15 belong : _____ = (~의) 소유물이다 : 소유물

16 knowledge : _____ = 지식 : 알다
17 tight : loose = 꽉 끼는 : _____
18 spirit : _____ = 정신 : 정신적인
19 admit : admission = 입장을 허락하다 : _____
20 _____ : independence = 의존 : 독립

Sentence Practice 배운 단어를 사용하여 문장을 완성하시오.

21 소년이 허위 화재 신고를 했다고 인정했다. → The boy _____ making a _____ alarm.
22 이 망원경은 내 것이다. → This _____ to me.
23 그는 쉽게 달까지의 거리를 계산했다. → He easily _____ the _____ to the moon.
24 이 직업은 실질적인 기술을 필요로 한다. → You need _____ skills for this job.
25 냉장고의 음식은 거의 썩었다. → The food in the refrigerator has _____ _____ away.
26 나는 내 남동생과 방을 함께 쓰고 있다. → I _____ my room with my brother.
27 화가는 물감과 캔버스를 살 여유가 없었다. → The artist couldn't _____ oils and canvas.
28 부모는 자녀 교육에 관한 지식을 갖춰야 한다. → Parents should have _____ on children's education.
29 미국은 1776년 7월 4일에 독립을 선언했다. → America declared its _____ on 4th of July in 1776.
30 18세가 되면 어른이 된다. → You become an _____ when you turn 18.

Day 14

01 **sum** [sʌm] n. 총계, 합계, 금액
the sum of 5 and 3 5와 3의 합계
a large sum of money 거액의 돈

02 **flavor** [fléivər] v. 맛을 내다 n. 맛, 풍미
flavor food with spices 양념으로 음식맛을 내다
new flavor of ice cream 새로운 맛의 아이스크림
- 🔠 taste 맛, 풍미
- ★ have no flavor 맛이 없다

03 **length** [leŋkθ] n. 길이, 키
5 feet in length 5 피트의 길이
- ⓐ long 긴

04 **item** [áitəm] n. 항목, 품목
check the items 항목들을 점검하다
men's items 남성용 제품
- ★ item by item 품목별로

05 **role** [roul] n. 역, 역할
play a key role 중요한 역할을 하다

06 **district** [dístrikt] n. 구역, 지방, 지역
a residential district 주거 지역
- 🔠 area 지역 region 지역, 지구

07 **ceremony** [sérəmòuni] n. 의식, 예식
a wedding ceremony 결혼식

08 **tax** [tæks] v. 세금을 부과하다, 과세하다 n. 세금
tax luxury goods 사치품에 과세하다
land tax 토지세
- 🔠 duty 세금, 관세

09 **level** [lévəl] n. 수평, 수준 a. 평평한, 수평의
sea level 해수면
a level ground 평평한 땅
- 🔠 flat 평평한

10 **temperature** [témpərətʃər] n. 온도, 기온
a rise in temperature 기온의 상승

11 **grab** [græb] v. 붙들다, 움켜쥐다 n. 움켜쥐기, 약탈
grab the bottle 병을 잡다
make a grab 움켜잡다
- 🔠 snatch 움켜잡다 catch 잡다

12　**rub** [rʌb] v. 비비다, 문지르다
rub one's eyes 눈을 비비다

13　**blend** [blend] v. 섞다, 혼합하다 n. 혼합　　윤 mix 섞다
blend red and white 빨간색과 흰색을 섞다
a blend of comedy and tragedy 희극과 비극의 혼합

14　**skip** [skip] v. 뛰어넘다, 빠뜨리다
skip a class 수업을 빼먹다

15　**compare** [kəmpɛ́ər] v. 비교하다, 대조하다　　윤 contrast 대조하다, 비교하다
compare lists 목록을 대조하다　　　　　　　　　　ⓝ comparison 비교, 대조

16　**swallow** [swάlou] v. 삼키다
swallow a pill 알약을 삼키다

17　**improve** [imprúːv] v. 개선하다, 향상[발달]시키다　　ⓝ improvement 향상, 개선
improve life 삶을 향상시키다

18　**assume** [əsjúːm] v. ~라고 가정하다, 간주하다
assume he's coming to party 그가 파티에 올 것이라고 생각하다

19　**arrogant** [ǽrəgənt] a. 거만한, 오만한　　반 modest 겸손한, 신중한 ⓝ arrogance 거만, 오만
an arrogant person 거만한 사람

20　**precious** [préʃəs] a. 귀중한, 값비싼　　윤 valuable 값비싼, 귀중한
precious metals 귀금속

21　**total** [tóutl] n. 합계, 총계 a. 전체의, 완전히　　ad totally 완전히, 모두
a total of $300 총 300달러
the total bill 전체 비용
a total failure 완전한 실패

22　**final** [fáinəl] n.최후의 것, 기말 시험 a. 마지막의　　윤 last 최후의, 마지막의 ad finally 마침내, 결국
take one's finals 기말 고사를 보다
a final minute 마지막 순간

23　**available** [əvéiləbəl] a.쓸모 있는, 이용할 수 있는　　반 unavailable 구할 수 없는, 이용할 수 없는
available data 이용가능한 자료

24　**recently** [ríːsəntli] ad.최근에, 근래에　　윤 lately 요즘, 최근에 ⓐ recent 최근의, 새로운
until recently 최근까지

25　**thus** [ðʌs] ad. 이와 같이, 따라서, 이만큼
thus far 이제까지는

Exercise

Expression Check 다음 영어를 우리말로, 우리말을 영어로 바꾸시오.

1 a rise in temperature _____ 의 상승
2 tax luxury goods   사치품에 _____
3 a final minute   _____ 순간
4 a level ground   _____ 땅
5 the sum of 5 and 3   5와 3의 _____

6 수업을 빼먹다   _____ a class
7 주거 지역   a residential _____
8 결혼식   a wedding _____
9 이제까지는   _____ far
10 눈을 비비다   _____ one's eyes

Word link 다음 빈칸에 알맞은 단어를 쓰시오.

11 compare : comparison = 비교하다 : ▨▨▨▨▨
12 final : last = 마지막의 : ▨▨▨▨▨
13 total : totally = 완전한 : ▨▨▨▨▨
14 precious : valuable = 귀중한 : ▨▨▨▨▨
15 available : unavailable = 쓸모 있는 : ▨▨▨▨▨

16 arrogant : ▨▨▨▨▨ = 거만한 : 거만
17 mix : blend = ▨▨▨▨▨ : 섞다
18 ▨▨▨▨▨ : recently = 최근의 : 최근에
19 length : ▨▨▨▨▨ = 길이 : 긴
20 improve : improvement = 향상하다 : ▨▨▨▨▨

Sentence Practice 배운 단어를 사용하여 문장을 완성하시오.

21 너의 성적을 향상시킬 몇 가지 비결이 있다.
   → There are some tips to ▨▨▨▨▨ your grade.

22 영화표는 매표소에서 구할 수 있다.
   → Movie tickets are ▨▨▨▨▨ at the box office.

23 갑자기 그가 내 가방을 낚아채더니 달아났다.
   → Suddenly, he ▨▨▨▨▨ my bag and ran away.

24 그들은 아직 내가 살아 있다고 가정했다.
   → They ▨▨▨▨▨ I am still alive.

25 태양은 지구 온도에 있어 핵심 역할을 한다.
   → Sun plays a key ▨▨▨▨▨ in Earth's ▨▨▨▨▨.

26 나는 상자에 있는 품목들의 길이를 비교했다.
   → I ▨▨▨▨▨ the ▨▨▨▨▨ of the ▨▨▨▨▨ in the box.

27 기름과 물은 원래 한데 섞이지 않는다.
   → Oil and water do not naturally ▨▨▨▨▨ together.

28 총 가격은 250달러에 달했다.
   → The ▨▨▨▨▨ price came up to $ 250.

29 그 상자는 값비싼 보석류로 가득 차 있다.
   → The box is filled with ▨▨▨▨▨ jewelry.

30 나는 포도맛 아이스크림을 좋아한다.
   → I like ice cream with a grape ▨▨▨▨▨.

Day 15

100 200 300 ▶400 500

01 **merchant** [mə́ːrtʃənt] n. 상인 a. 상업[무역]의, 상인의
a rich merchant 부유한 상인
a merchant ship 상선

02 **technique** [tekníːk] n. (전문)기술, 기법   ⓐ technical 기술적인, 전문적인
a modern technique 현대적인 기술

03 **title** [táitl] v. 이름을 붙이다 n. 표제, 제목, 직함
title the article 기사에 제목을 붙이다
the book's title 책 제목

04 **superstition** [sùːpərstíʃən] n. 미신   ⓐ superstitious 미신의, 미신에 사로잡힌
an ancient superstition 고대 미신

05 **attempt** [ətémpt] v. 시도하다 n. 시도   ⋆make an attempt 시도하다
the first attempt 첫 번째 시도
attempt to find a job 직업을 구하려고 하다

06 **form** [fɔːrm] v. 형성하다, 만들다 n. 형태, 형상, 양식   ⓝ formation 형성, 구성
form a character 성격을 형성하다
fill in a form 서식을 작성하다

07 **industry** [índəstri] n. 산업, 공업   ⓐ industrial 산업(공업)의, 산업(공업)이 발달한
the automobile industry 자동차 산업

08 **root** [ruːt] n. 뿌리, 근원
cut the root 뿌리를 자르다
the root of a problem 문제의 근원

09 **charity** [tʃǽrəti] n. 자선, 자비, 자선단체   ⓐ charitable 자비로운, 자선의
give money to charity 자선 단체에 돈을 내다

10 **document** [dákjəmənt] n. 문서, 서류, 문헌   documentary ⓐ 문서(서류)의 ⓝ 기록영화
sign a document 문서에 서명하다

11 **bow** [bau] v. 허리를 굽히다, 절하다 n. 절   ⋆take a bow (군중 앞에서) 인사하다
bow to the queen 여왕에게 절하다
make a bow 허리 숙여 인사하다, 절하다

12 **stretch** [stretʃ] v. 늘이다, 펴다, 뻗다
stretch arms straight 팔을 쭉 펴다

13 **rush** [rʌʃ] v. 돌진하다, 서두르다 ★ be in a rush 서두르다
rush to a store 가게로 서둘러 가다

14 **intend** [inténd] v. ~할 작정[생각]이다, 의도하다 ⓝ intention 의도, 의향 intent 의도, 목적
intend to go abroad 외국에 갈 생각이다

15 **surround** [səráund] v. 둘러싸다 ⓝ surroundings 주위, 환경, 주변
surround a house 집을 둘러싸다

16 **insist** [insíst] v. 주장하다, 고집하다, 우기다 ⓐ insistent 우기는, 강요하는
insist on paying 돈을 내겠다고 고집하다

17 **attach** [ətǽtʃ] v. 붙이다, 첨부하다 ⓝ attachment 부착, 애착, 첨부파일
attach a tag 꼬리표를 붙이다

18 **decrease** [di:krí:s] v. 줄다, 감소하다 n. 감소, 축소 ⟺ increase 늘다, 증가하다
decrease slowly 천천히 감소하다
a decrease in population 인구 감소

19 **homeless** [hóumlis] a. 집 없는 n. 집 없는 사람들
a homeless man 집 없는 사람
help the homeless 집 없는 사람들을 도와주다

20 **general** [dʒénərəl] a. 일반적인, 보편적인 n. 장군 ⓐⓓ generally 일반적으로, 대개
a general rule 일반적인 규칙 ★ in general 일반적으로, 대개
a General Yi Sun Sin 이순신 장군

21 **up-to-date** [ʌ́ptədéit] a. 최신의, 첨단의 ㊂ current 현재의, 지금의
up-to-date information 최신 정보

22 **previous** [prí:viəs] a. 앞선, 이전의 ★ previous to~ ~이전에, ~에 앞서
the previous record 이전 기록

23 **current** [kə́:rənt] a. 지금의, 현재의 ㊂ present 현재의, 오늘날의
current weather 현재 날씨

24 **neither** [ní:ðər] ad. ~도 …도 아니다 ★ neither A nor B A나 B 둘 중 어느 것도 아닌
neither a doctor nor a lawyer 의사도 아니고 변호사도 아닌

25 **forward** [fɔ́:rwərd] v. 전송하다 adv. 앞(쪽)으로 ⟺ backward 뒤(쪽)으로, 거꾸로
go forward 앞쪽으로 가다 forward a letter 편지를 전송하다

Exercise

Expression Check 다음 영어를 우리말로, 우리말을 영어로 바꾸시오.

1 the automobile industry 자동차 _____
2 cut the root _____ 를 자르다
3 current weather _____ 날씨
4 the book's title 책 _____
5 up-to-date information _____ 정보

6 가게에 서둘러 가다 _____ to a store
7 꼬리표를 붙이다 _____ a tag
8 문서에 서명하다 sign a _____
9 일반적 규칙 a _____ rule
10 팔을 쭉 펴다 _____ arms straight

Word Link 다음 빈칸에 알맞은 단어를 쓰시오.

11 industry : _____ = 산업 : 산업의
12 _____ : formation = 형태 : 형성
13 attach : _____ = 붙이다 : 부착
14 forward : backward = _____ : 뒤쪽으로
15 intend : intention = 의도하다 : _____

16 _____ : technical = 기술 : 기술적인
17 decrease : _____ = 감소하다 : 증가하다
18 _____ : superstitious = 미신 : 미신의
19 insist : insistent = 주장하다 : _____
20 charity : charitable = _____ : 자선의

Sentence Practice 배운 단어를 사용하여 문장을 완성하시오.

21 그는 새 문서에 다른 제목을 붙였다. → He gave the new _____ a different _____.
22 집 없는 사람들은 자선단체에서 도움을 받는다. → The _____ receive lot of help from the _____.
23 당신이 가진 이전 소프트웨어는 최신 버전입니다. → Your _____ software is an _____ version.
24 그 기사는 왕에게 절을 하려고 했다. → The knight _____ to _____ to the king.
25 집 없는 사람에게는 먹을 것이 아무것도 없다. → The _____ have nothing to eat.
26 Tom도 Jack도 스페인어를 할 줄 모른다. → _____ Tom nor Jack can speak Spanish.
27 그녀는 파일을 전자 양식에 첨부했다. → She _____ the file to the electronic _____.
28 현재 바깥 온도는 섭씨 영하 2도입니다. → The _____ outside temperature is -2°C.
29 그는 갑자기 문을 향해 돌진했다. → He suddenly _____ to the door.
30 아름다운 산들이 강으로 둘러싸여 있다. → Beautiful mountains are _____ by the river.

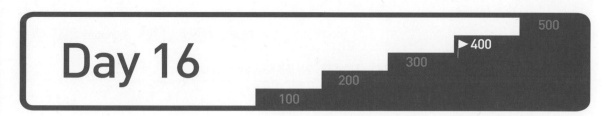

Day 16

🎧

01 found [faund] v. 설립하다   ⓝ foundation 창립, 기초, 토대
found a school 학교를 설립하다

02 ingredient [ingríːdiənt] n. 성분, 원료, 재료
mix the ingredients 재료를 섞다

03 route [ruːt] n. 길, 노선, 항로   ⓤ path 작은 길, 오솔길
the fastest route 가장 빠른 길

04 edge [edʒ] n. 가장자리, 끝, 모서리
the water's edge 물가

05 charm [tʃɑːrm] v. 매혹하다 n. 매력, 마력, 부적   ⓐ charming 매력적인
charm visitors 방문객들을 매혹하다
have a lot of charm 매력이 넘치다

06 benefit [bénəfit] v. 도움이 되다 n. 이익, 혜택   ⓐ beneficial 유익한, 이로운
the benefit of modern technology 현대 과학 기술의 혜택   ★ benefit from~ ~에서 이익을 얻다
benefit people 사람들에게 이익이 되다

07 merit [mérit] n. 장점   ⓟ demerit 과실, 결점
have merit 장점을 가지다

08 technology [teknálədʒi] n. 과학 기술   ⓐ technological 과학 기술의
computer technology 컴퓨터 기술

09 vehicle [víːikəl] n. 탈것, 차량
an old vehicle 오래된 차량
a motor vehicle 자동차

10 symbol [símbəl] n. 상징, 기호   ⓐ symbolic 상징적인 ⓥ symbolize 상징하다
a symbol of good luck 행운의 상징

11 unify [júːnəfài] v. 통합하다, 통일하다   ⓝ unification 통일, 단합, 통합
unify people 국민을 통합시키다

12 behave [bihéiv] v. 행동하다, 처신하다   ⓝ behavior 행동
behave like a child 아이처럼 행동하다

13   **indicate** [índikèit] v. 가리키다, 지적하다, 암시하다   n indication 지시, 암시, 조짐
indicate a problem 문제점을 지적하다

14   **determine** [ditə́:rmin] v. 결심하다, 결정하다   n determination 결심, 결정
determine an answer 답을 결정하다
determine to learn 배우기로 결심하다

15   **offer** [ɔ́(:)fər] v. 제공하다, 제안하다 n. 제공, 제안
offer a solution 해결책을 제공하다
get an offer 제안을 받다

16   **sail** [seil] v. 항해하다   n sailor 선원, 해군 병사
sail to Spain 스페인으로 항해하다

17   **trust** [trʌst] v. 신뢰하다, 믿다 n. 신용, 신뢰   반 distrust 신용하지 않다 a trustful 신뢰하는
trust each other 서로를 신뢰하다
have trust in him 그를 신뢰하다

18   **search** [səːrtʃ] v. 찾다[뒤지다], 조사하다 n. 수색   ★ in search of~ ~을 찾아서
search a desk 책상을 뒤지다

19   **marine** [mərí:n] a. 바다(해양)의 n. 해군, 해병대원
a marine animal 해양 동물
a handsome marine 잘생긴 해병

20   **instant** [ínstənt] a. 즉시의, 긴급한 n. 즉시, 순간   ad instantly 즉시, 즉석에서
instant effects 즉각적인 효과
know in an instant 순식간에 알다

21   **urban** [ə́:rbən] a. 도시의   반 rural 시골의, 전원의
an urban area 도시 지역

22   **primary** [práimèri] a. 첫째의, 가장 중요한   ad primarily 첫째로, 주로, 우선
a primary goal 제 1의 목표

23   **firm** [fəːrm] a. 굳은, 확고한 n. 회사   유 company 회사 ad firmly 단단하게, 굳게, 확고하게
firm belief 확고한 믿음
visit my father's firm 아버지의 회사를 방문하다

24   **even** [í:vən] ad. ~조차도, 심지어 a. 평평한, 동등한
even a beginner 초보자 조차도
even ground 평지

25   **afterward** [ǽftərwərd] ad. 후에, 나중에
a week afterward 일주일 후에

Exercise

Score /30

Expression Check 다음 영어를 우리말로, 우리말을 영어로 바꾸시오.

1 have merit _____ 을 가지다
2 mix the ingredients _____ 를 섞다
3 a marine animal _____ 동물
4 get an offer _____ 을 받다
5 sail to Spain 스페인으로 _____

6 확고한 믿음 _____ belief
7 일주일 후에 a week _____
8 즉각적인 효과 an _____ effect
9 책상을 뒤지다 _____ a desk
10 물가 the water's _____

Word Link 다음 빈칸에 알맞은 단어를 쓰시오.

11 foundation : found = 창립 : ▨▨▨▨▨
12 ▨▨▨▨▨ : behavior = 행동하다 : 행동
13 urban : rural = 도시의 : ▨▨▨▨▨
14 determine : ▨▨▨▨▨ = 결심하다 : 결심
15 ▨▨▨▨▨ : beneficial = 이익 : 이로운

16 ▨▨▨▨▨ : demerit = 장점 : 결점
17 trust : trustful = 신뢰하다 : ▨▨▨▨▨
18 symbol : ▨▨▨▨▨ = 상징 : 상징적인
19 sail : sailor = 항해하다 : ▨▨▨▨▨
20 charm : ▨▨▨▨▨ = 매력 : 매력적인

Sentence Practice 배운 단어를 사용하여 문장을 완성하시오.

21 탐험가들은 최선의 항로를 결정했다.
→ The explorers ▨▨▨▨ the best ▨▨▨▨.

22 그들은 수년 전에 법률 회사를 창립했다.
→ They ▨▨▨▨ a law ▨▨▨▨ many years ago.

23 니코틴은 매우 해로운 성분이다.
→ The Nicotine is a very harmful ▨▨▨▨ in tobacco.

24 내 친구는 새 차량을 찾고 있다.
→ My friend is ▨▨▨▨ for a new ▨▨▨▨.

25 그는 절벽의 가장자리 너머를 보았다.
→ He looked over the ▨▨▨▨ of the cliff.

26 젊은 해군들은 해변으로 고요히 항해했다.
→ The young ▨▨▨▨ ▨▨▨▨ quietly to the beach.

27 신기술은 많은 장점을 가지고 있다.
→ The new ▨▨▨▨ has many ▨▨▨▨.

28 그 후에 그녀는 도시의 삶이 지긋지긋해졌다.
→ ▨▨▨▨, she got tired of ▨▨▨▨ life.

29 회사는 고객들에게 많은 혜택을 제공할 것이다.
→ The company will ▨▨▨▨ many ▨▨▨▨ to clients.

30 그는 그의 친구들조차 신뢰할 수 없었다.
→ He couldn't ▨▨▨▨ ▨▨▨▨ his friends.

A 올바른 답을 고르시오.

1 An instrument that makes things look larger is a(an) _____.

  (a) root   (b) telescope   (c) tight   (d) available

2 Something that is used to make a particular food is a(an) _____.

  (a) attach   (b) ingredient   (c) flavor   (d) practical

3 An organization that helps poor people is a _____.

  (a) sum   (b) final   (c) charity   (d) general

4 A public or religious event is a _____.

  (a) superstition   (b) distance   (c) ceremony   (d) final

5 A place where dead bodies are put into graves is a(an) _____.

  (a) knowledge   (b) cemetery   (c) marine   (d) unify

B 다음 동의어를 연결하시오.

6 adult   · ⓐ wrong

7 false   · ⓑ decide

8 improve   · ⓒ develop

9 trust   · ⓓ grown-up

10 determine   · ⓔ believe

C 다음 박스에서 알맞은 단어를 골라 빈칸을 채우시오. (필요한 경우 형태를 바꾸시오.)

compare	share	insist	intend	search

11 The man [   ] on taking her out to dinner.

12 You'd better [   ] prices before you buy a computer.

13 The teacher showed me how to [   ] the Internet.

14 He wants to [   ] his two-bedroom apartment with me.

15 She [   ] to visit Seoraksan National Park during holidays.

D 다음 영어를 우리말로, 우리말을 영어로 바꾸시오.

16	vehicle	
17	urban	
18	source	
19	blend	
20	merit	
21	charm	
22	spirit	
23	industry	
24	temperature	
25	skip	
26	attempt	
27	surround	
28	benefit	
29	edge	
30	previous	
31	tax	
32	technique	
33	item	
34	reward	
35	instead	

36	독립	
37	훈련, 규율	
38	~에 속하다	
39	인정하다	
40	확고한	
41	상인	
42	문서	
43	귀중한	
44	의식, 예식	
45	실	
46	최근에	
47	형태	
48	빛나다	
49	썩다	
50	움켜쥐다	
51	절하다	
52	늘이다	
53	거의	
54	역할	
55	타고난	

E 단어를 듣고 받아쓰시오. 🎧

56	66	76
57	67	77
58	68	78
59	69	79
60	70	80
61	71	81
62	72	82
63	73	83
64	74	84
65	75	85

Date _____ Signature _____

다음 영어를 우리말로, 우리말을 영어로 바꾸시오.

1 reduce	_____ ☐☐	26 귀중한	_____ ☐☐
2 horizon	_____ ☐☐	27 일반적인	_____ ☐☐
3 practical	_____ ☐☐	28 수입	_____ ☐☐
4 control	_____ ☐☐	29 온도	_____ ☐☐
5 arrogant	_____ ☐☐	30 삼키다	_____ ☐☐
6 fasten	_____ ☐☐	31 펴다	_____ ☐☐
7 separate	_____ ☐☐	32 독립	_____ ☐☐
8 district	_____ ☐☐	33 의도하다	_____ ☐☐
9 fix	_____ ☐☐	34 풍습	_____ ☐☐
10 instant	_____ ☐☐	35 미신	_____ ☐☐
11 deny	_____ ☐☐	36 집 없는	_____ ☐☐
12 indicate	_____ ☐☐	37 매력	_____ ☐☐
13 exist	_____ ☐☐	38 성분, 재료	_____ ☐☐
14 trick	_____ ☐☐	39 길이	_____ ☐☐
15 charity	_____ ☐☐	40 이전의	_____ ☐☐
16 endanger	_____ ☐☐	41 최근에	_____ ☐☐
17 industry	_____ ☐☐	42 결정하다	_____ ☐☐
18 discipline	_____ ☐☐	43 의식, 예식	_____ ☐☐
19 false	_____ ☐☐	44 지식	_____ ☐☐
20 compare	_____ ☐☐	45 피난처, 은신처	_____ ☐☐
21 attempt	_____ ☐☐	46 방어하다	_____ ☐☐
22 merchant	_____ ☐☐	47 상징	_____ ☐☐
23 squeeze	_____ ☐☐	48 연결하다	_____ ☐☐
24 thread	_____ ☐☐	49 도시의	_____ ☐☐
25 current	_____ ☐☐	50 여성	_____ ☐☐

Phrasal Verbs

+ hold 붙들다, 가지다

hold on 기다리다, 견디다
Would you hold on for a second?
잠시만 기다려 주시겠습니까?

hold back 자제하다, 억제하다
She tried to hold back tears.
그녀는 눈물을 참으려고 노력했다.

hold out 살아남다, 버티다, 견디다
He was so tired that he couldn't hold out any longer.
그는 너무 피곤해서 더 이상 버틸 수가 없었다.

hold up ~을 받치다, 지탱하다
She put on a belt to hold her pants up.
그녀는 바지가 흘러내리지 않도록 벨트를 맸다.

hold off 미루다
I'll hold off buying a computer until I save enough money.
나는 충분히 돈을 모을 때까지 컴퓨터 구입을 미룰 것이다.

+ put 놓다, 두다

put down 내려놓다, 종이에 적다
James put down his pencil on the table.
James는 탁자 위에 펜을 내려놓았다.

put into ~의 안에 넣다
He put his money into his wallet.
그는 지갑 안에 돈을 넣었다.

put on 착용하다, 입다
My brother doesn't like to put on gloves.
내 동생은 장갑 끼는 것을 싫어한다.

put off 연기하다
She put off the trip because of rain.
그녀는 비 때문에 여행을 미뤘다.

put away 치우다
My mother put away my bike and cleaned the floor.
엄마는 내 자전거를 치운 후 바닥을 청소하셨다.

Check - up

1 He will _____ _____ going to the movies until tomorrow.
그는 영화 보러 가는 것을 내일로 미룰 것이다.

2 They _____ _____ their laughter when they saw him.
그들은 그를 보고는 웃음을 참았다.

3 Would you _____ _____ your bag on the floor?
가방을 바닥에 내려놓으시겠어요?

4 She always _____ _____ her cap when she goes out.
그녀는 외출할 때 항상 모자를 쓴다.

Part 5

Day 17

▶ 500

400

300

200

100

01 **tone** [toun] n. 음, 음색, 어조 　　　　　　　　㈜ sound 소리, 음
    an angry tone 화난 어조

02 **weapon** [wépən] n. 무기 　　　　　　　　㈜ arms 무기, 병기
    a nuclear weapon 핵무기

03 **thermometer** [θərmɑ́mitər] n. 온도계
    read a thermometer 온도계를 읽다

04 **path** [pæθ] n. 좁은 길, 오솔길, 진로 　　　　　　㈜ footpath 좁은 길, 인도
    walk on a path 오솔길을 걷다

05 **effect** [ifékt] n. 결과, 효과, 영향 　　　　　　ⓐ effective 유효한, 효과적인
    have no effect 효과가 없다 　　　　　　★ have an effect on~ ~에 영향을 미치다

06 **routine** [ruːtíːn] n. 일과 a. 일상의, 판에 박힌
    the same routine 똑같은 일과
    a routine task 일상적인 업무

07 **chore** [tʃɔːr] n. 허드렛일, 잡일, 가사
    household chores 집안일

08 **instance** [ínstəns] n. 보기, 사례 　　　　　　㈜ example 보기, 사례
    explain an instance 사례를 설명하다 　　　　★ for instance 예를 들면

09 **function** [fʌ́ŋkʃən] v. 기능을 하다 n. 기능
    a useful function 유용한 기능
    function perfectly 완벽하게 기능하다

10 **matter** [mǽtər] v. 중요하다, 문제가 되다 n. 일, 문제
    difficult matter 중요한 일
    It doesn't matter to me. 나에게는 문제가 되지 않아.

11 **protect** [prətékt] v. 보호하다, 지키다 　　　　ⓝ protection 보호
    protect a child 아이를 보호하다

12 **twist** [twist] v. 비틀다, 꼬다
    twist a rope 밧줄을 꼬다

13   **starve** [stɑːrv] v. 굶주리다, 굶기다   ⓝ starvation 기아, 아사 ⓐ starved 굶주린
starve to death 굶어 죽이다

14   **locate** [lóukeit] v. (위치를) 정하다, 찾아내다   ⓝ location 위치 선정, 위치, 장소
locate a building 건물을 찾아내다

15   **display** [displéi] v. 전시[진열]하다 n. 전시[진열]   ⭐ on display 전시되어
display goods 상품을 진열하다

16   **cause** [kɔːz] v. 일으키다, 초래하다 n. 원인, 이유   ⓟ effect 결과 ⓨ reason 이유
cause an accident 사고를 일으키다
a cause of war 전쟁의 원인

17   **include** [inklúːd] v. 포함하다   ⓟ including~ ~을 포함하여
include tax 세금을 포함하다

18   **whisper** [hwíspər] v. 속삭이다, 소곤거리다
whisper a secret 비밀을 속삭이다

19   **local** [lóukəl] a. 지방의, 지역적인
a local newspaper 지역 신문
a local government 지방 정부

20   **various** [véəriəs] a. 여러 가지의, 다양한   ⓝ variety 변화, 다양(성)
various reasons 여러 가지 이유

21   **private** [práivit] a. 사적인, 은밀한, 사립의   ⓟ public 공공의 ⓝ privacy 사생활
a private school 사립 학교
private property 사유 재산

22   **flat** [flæt] a. 평평한, 바람이 빠진
a flat roof 평평한 지붕
have a flat tire 타이어에 바람이 빠지다

23   **bold** [bould] a. 대담한, 과감한, 볼드체의   ⓨ brave 용감한
a bold plan 과감한 계획

24   **minor** [máinər] a. 소수의, 중요치 않은 n. 미성년자   ⓟ major 다수의, 주요한
a minor mistake 사소한 실수
No minors 미성년자 출입금지

25   **especially** [ispéʃəli] ad. 특히   ⓨ specially, particularly 특히, 각별히
especially in winter 특히 겨울에는

Exercise

Expression Check 다음 영어를 우리말로, 우리말을 영어로 바꾸시오.

1 read a thermometer   _____를 읽다

2 a useful function   유용한 _____

3 a local newspaper   _____ 신문

4 have no effect   _____가 없다

5 twist a rope   밧줄을 _____

6 사소한 실수   a _____ mistake

7 여러 가지 이유   _____ reasons

8 비밀을 속삭이다   _____ a secret

9 집안일   household _____

10 평평한 지붕   a _____ roof

Word Link 다음 빈칸에 알맞은 단어를 쓰시오.

11 weapon : arms = 무기 : ▓▓▓▓

12 cause : effect = ▓▓▓▓ : 결과

13 bold : brave = 대담한 : ▓▓▓▓

14 include : including = 포함하다 : ▓▓▓▓

15 ▓▓▓▓ : variety = 다양한 : 다양성

16 locate : ▓▓▓▓ = 위치를 정하다 : 위치

17 ▓▓▓▓ : minor = 다수의 : 소수의

18 ▓▓▓▓ : protection = 보호하다 : 보호

19 starve : ▓▓▓▓ = 굶주리다 : 기아

20 private : privacy = 사적인 : ▓▓▓▓

Sentence Practice 배운 단어를 사용하여 문장을 완성하시오.

21 여자는 은밀한 메시지를 속삭이며 말했다. → The woman ▓▓▓▓ the ▓▓▓▓ message.

22 그들은 새 무기로 도시를 지켜냈다. → They ▓▓▓▓ the city with the new ▓▓▓▓.

23 나는 정오까지 집안일을 끝내야 한다. → I have to finish houshold ▓▓▓▓ by noon.

24 그들은 핵무기를 제거하기로 동의했다. → They agreed to remove a nuclear ▓▓▓▓.

25 그는 일상적인 업무에 싫증을 느낀다. → He is sick of his ▓▓▓▓ job.

26 이 영화에는 멋진 특수효과가 포함되어 있다. → This film ▓▓▓▓ amazing special ▓▓▓▓.

27 사소한 실수가 큰 문제를 유발했다. → ▓▓▓▓ errors ▓▓▓▓ a big problem.

28 그는 전쟁을 끝내기 위한 과감한 계획을 세웠다. → He has a ▓▓▓▓ plan to end the war.

29 상점에는 다양한 품목들이 진열되어 있다. → ▓▓▓▓ items are ▓▓▓▓ in the shop.

30 그녀의 음색은 꽤 높으면서 부드럽다. → Her ▓▓▓▓ is quite high and smooth.

01 **damage** [dǽmidʒ] v. 손해[손상]를 입히다 n. 손해, 피해
damage a car 차를 손상시키다

02 **instrument** [ínstrəmənt] n. 기계, 기구, 도구
musical instruments 악기

03 **saint** [séint] n. 성자, 성인
a living saint 살아있는 성인

04 **effort** [éfərt] n. 노력, 수고　　　　　★ make an effort = make efforts 노력하다
spend a lot of effort 많은 노력을 들이다

05 **climate** [kláimit] n. 기후
a pleasant climate 쾌적한 기후

06 **pattern** [pǽtərn] n. 무늬, 양식
wave patterns 물결 무늬

07 **throne** [θroun] n. 왕위　　　　　★ come to the throne 즉위하다
sit on a throne 왕위에 오르다

08 **contact** [kántækt] v. 접촉[연락]하다 n. 접촉[연락]　★ keep in contact with~ ~와 연락하고 지내다
contact by phone 전화로 연락하다
close contact 긴밀한 접촉

09 **type** [taip] v. 타자로 치다 n. 유형, 종류　　　ⓐ typical 전형적인, 대표적인
a blood type 혈액형

10 **deal** [di:l] v. 다루다, 처리하다 n. 거래, 분량　★ deal with~ ~을 다루다, 처리하다
a fair deal 공정한 거래
a great deal of 다량의

11 **blame** [bleim] v. 비난[탓]하다 n. 비난, 책임　　ⓟ praise 칭찬하다
blame other people 다른 사람을 탓하다
blame for the accident 사고에 대한 책임

12 **divide** [diváid] v. 나누다, 분리하다　　　　ⓝ division 분할, 분배
divide a cake 케이크를 나누다

13 pollute [pəlúːt] v. 오염시키다
pollute the air 공기를 오염시키다

n pollution 오염, 공해

14 chase [tʃeis] v. 뒤쫓다, 추격하다
chase a rabbit 토끼를 쫓다

★chase after~ ~의 뒤를 쫓다, 추구하다

15 press [pres] v. 누르다, 강요하다
press a button 버튼을 누르다

n pressure 압력, 압박(감)

16 support [səpɔ́ːrt] v. 지탱하다, 지지하다, 후원하다
support a campaign 캠페인을 후원하다

n supporter 지지자, 후원자

17 manage [mǽnidʒ] v. 경영[관리]하다, 용케 해내다
manage a company 회사를 경영하다
manage to find 용케 찾아내다

n management 경영, 관리

18 last [læst] v. 지속하다 a. 마지막의, 최후의
last for an hour 한시간 동안 지속되다
the last person 마지막 사람

유 final 마지막의, 결국의

19 principal [prínsəpəl] a. 주요한 n. 우두머리, 교장
a principal cause 주요 원인
a school principal 학교 교장

20 loose [luːs] a. 풀린, 느슨한
a loose screw 풀린 나사

v loosen 풀다, 느슨하게 하다

21 violent [váiələnt] a. 난폭한, 폭력적인, 격렬한
a violent storm 격렬한 폭풍

n violence 폭력, 폭행

22 sore [sɔːr] a. 아픈, 쓰린
a sore muscle 쑤시는 근육
a sore throat 목구멍 통증(인후염)

23 fond [fɑnd] a. 정다운[다정한], 애정 어린, 좋아하는
a fond look 다정한 눈길

★be fond of~ ~을 좋아하다

24 lately [léitli] ad. 요즈음, 최근에
have not seen her lately 최근에 그녀를 보지 못했다

유 recently 최근에

25 nearby [níərbài] ad. 가까이에, 근처에 a. 가까운
live nearby 근처에 살다
a nearby store 가까운 가게

Exercise

Expression Check 다음 영어를 우리말로, 우리말을 영어로 바꾸시오.

1 divide a cake   케이크를 _____
2 a pleasant climate   쾌적한 _____
3 a fair deal   공정한 _____
4 wave patterns   물결 _____
5 a school principal   학교 _____

6 살아있는 성인   a living _____
7 차를 손상시키다   _____ a car
8 다른 사람을 탓하다   _____ other people
9 회사를 경영하다   _____ a company
10 근처에 살다   live _____

Word Link 다음 빈칸에 알맞은 단어를 쓰시오.

11 press : _____ = 누르다 : 압박
12 blame : praise = 비난하다 : _____
13 _____ : pollution = 오염시키다 : 오염
14 support : supporter = 지지하다 : _____
15 type : typical = 유형 : _____

16 divide : _____ = 나누다 : 분할
17 lately : recently = _____ : 최근에
18 _____ : violence = 폭력적인 : 폭력
19 manage : _____ = 경영하다 : 경영
20 loose : loosen = _____ : 느슨하게 하다

Sentence Practice 배운 단어를 사용하여 문장을 완성하시오.

21 그는 부서진 기구를 친구 탓으로 돌렸다. → He _____ his friend for the broken _____.
22 그에 대한 애정 어린 기억은 평생 지속될 것이다. → My _____ memories of him will _____ forever.
23 경찰관이 그 난폭한 남자를 쫓아갔다. → The policeman _____ the _____ man.
24 교장은 많은 학생과 교사들을 관리한다. → The _____ many students and teachers.
25 기후 변화에 대처하기 위한 계획이 필요하다. → We need a plan to _____ with a _____ change.
26 폐수가 인근의 호수를 오염시켰다. → Waste water has _____ lakes.
27 어린 왕자는 왕위의 후계자이다. → The young prince is the heir to the _____.
28 우리는 케이크를 2등분 했다. → We _____ the cake into two parts.
29 요즈음 다리가 너무 아팠다. → My legs have been very _____.
30 도움이 필요하면 제 사무실로 연락하세요. → Please _____ my office for help.

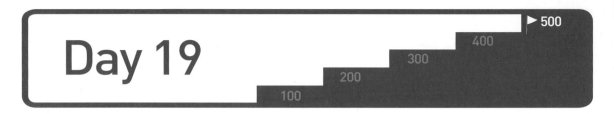

01 sample [sǽmpəl] n. 견본, 표본
a free sample 무료 견본
윤 example 보기, 예, 견본

02 clone [klóun] n. 복제 생물[인간]
an animal clone 복제 동물
★ clone a human 인간을 복제하다

03 insult [íns∧lt] v. 모욕하다 n. 모욕
insult religion 종교를 모욕하다
receive an insult 모욕을 당하다
ⓐ insulting 모욕적인, 무례한

04 goods [gudz] n. 상품, 물품
buy goods 물품을 사다

05 desert [dézə:rt] n. 사막
travel through the desert 사막을 두루 여행하다
★ the Sahara Desert 사하라 사막

06 court [kɔ:rt] n. 법정, 재판소, 경기장
a higher court 상급 법원
a tennis court 테니스장
★ come into court 법원에 출두하다

07 measure [méʒər] v. 재다 n. 측정, 척도, 조치
measure the width 폭을 재다
safety measures 안전 조치
ⓝ measurement 측량, 측정

08 trade [treid] v. 매매하다, 교환하다 n. 매매, 무역, 교역
trade rice for clothing 쌀을 의류와 교환하다
free trade 자유 무역

09 element [éləmənt] n. 요소, 성분
an important element 중요한 요소
ⓐ elementary 기본이 되는, 초보의

10 award [əwɔ́:rd] v. 수여하다, 주다 n. 상, 수상
award a medal 메달을 수여하다
win an award 상을 타다
윤 prize 상, 경품

11 concern [kənsə́:rn] n. 염려[우려]
express concern 염려를 표하다
ⓐ concerned 관심을 갖는, 염려하는
ⓥ concern 관계가 있다, 염려하다

12 **drag** [dræg] v. 끌다, (컴퓨터) 마우스로 이동시키다
drag a log 통나무를 끌다

---

13 **predict** [pridíkt] v. 예언하다, 예측하다   n prediction 예언, 예측
predict a winner 우승자를 예측하다

---

14 **complain** [kəmpléin] v. 불평하다   n complaint 항의, 불편, 불만
complain about noise 소음에 대해 불평하다

---

15 **recycle** [ri:sáikəl] v. 재활용하다   n recycling 재활용
recycle bottles 병을 재활용하다

---

16 **punish** [pʌ́niʃ] v. 벌하다   n punishment 처벌, 형벌
punish a criminal 범죄자를 처벌하다

---

17 **threaten** [θrétn] v. 위협하다   a threatening 위협하는, 협박적인
threaten to kill 죽이겠다고 협박하다

---

18 **mention** [ménʃən] v. 간단히 말하다, 언급하다
mention his name 그의 이름을 언급하다

---

19 **decline** [dikláin] v. 거절[거부]하다 n. 쇠퇴, 하락   반 accept 수락하다
decline to answer 답변을 거부하다
a sudden decline 급격한 하락

---

20 **main** [mein] a. 주요한   ad mainly 주로, 대부분은
a main topic 주요 화제

---

21 **else** [els] a. 그 밖의, 다른
anyone else 그 밖의 다른 사람

---

22 **reliable** [riláiəbəl] a. 믿을 수 있는   v rely 의지하다, 신뢰하다
a reliable friend 믿을 수 있는 친구

---

23 **foreign** [fɔ́(:)rin] a. 외국의, 타지방의, 외래의   n foreigner 외국인, 이방인
foreign country 외국

---

24 **public** [pʌ́blik] a. 공공의, 공개의, 대중의 n. 대중   ★in public 공공연히, 대중 앞에서
a public place 공공장소
open to the public 대중에게 개방된

---

25 **unlike** [ʌ̀nláik] prep. ~와 달리, ~와 같지 않은
unlike humans 사람과는 달리

Exercise

Expression Check 다음 영어를 우리말로, 우리말을 영어로 바꾸시오.

01 a sudden decline 급격한 ＿＿＿＿＿＿＿ 6 상을 타다 win an ＿＿＿＿＿＿＿

2 buy goods ＿＿＿＿＿＿＿을 사다 7 그 밖의 다른 사람 anyone ＿＿＿＿＿＿＿

3 express concern ＿＿＿＿＿＿＿를 표하다 8 공공장소 a ＿＿＿＿＿＿＿ place

4 a main topic ＿＿＿＿＿＿＿ 화제 9 복제 동물 an animal ＿＿＿＿＿＿＿

5 drag a log 통나무를 ＿＿＿＿＿＿＿ 10 사람과는 달리 ＿＿＿＿＿＿＿ humans

Word Link 다음 빈칸에 알맞은 단어를 쓰시오.

11 insult : insulting = 모욕 : ＿＿＿＿＿ 16 complain : ＿＿＿＿＿ = 불평하다 : 불평

12 foreign : ＿＿＿＿＿ = 외국의 : 외국인 17 ＿＿＿＿＿ : threaten = 위협적인 : 위협하다

13 ＿＿＿＿＿ : accept = 거절하다 : 수락하다 18 recycle : recycling = 재활용하다 : ＿＿＿＿＿

14 predict : prediction = ＿＿＿＿＿ : 예언 19 ＿＿＿＿＿ : punishment = 벌하다 : 처벌

15 measure : ＿＿＿＿＿ = 측정하다 : 측정 20 reliable : ＿＿＿＿＿ = 믿을 수 있는 : 의지하다

Sentence Practice 배운 단어를 사용하여 문장을 완성하시오.

21 내 사촌은 몇 장의 CD를 이 책들과 교환했다. → My cousin ＿＿＿＿＿ some CDs for these books.

22 법원은 인간 복제를 허용하지 않기로 결정했다. → The ＿＿＿＿＿ decided not to allow human cloning.

23 그는 인터뷰 중에 최근의 수상에 대해 언급했다. → He ＿＿＿＿＿ his recent ＿＿＿＿＿ in the interview.

24 나는 사막을 여행할 것이다. → I'm going to make a trip to the ＿＿＿＿＿.

25 그녀는 그의 무례한 행동에 대한 벌을 주었다. → She ＿＿＿＿＿ him for his rude behavior.

26 그녀는 공개 강연 초대를 거절했다. → She ＿＿＿＿＿ his invitation to the ＿＿＿＿＿ lecture.

27 이 새 외제차는 내 차와 다르다. → This new ＿＿＿＿＿ car is ＿＿＿＿＿ my car.

28 그 밖의 다른 어떤 것도 내게는 중요하지 않다. → Nothing ＿＿＿＿＿ matters to me.

29 낡은 전기 제품들은 재활용이 가능하다. → Old electrical ＿＿＿＿＿ can be ＿＿＿＿＿.

30 나는 불만이 없다. → I have nothing to ＿＿＿＿＿ about.

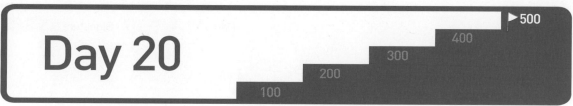

Day 20

01 **heritage** [hér   idʒ] n. 상속재산, 유산
a national heritage 국가 유산

02 **cancel** [kǽnsəl] v. 취소하다, 삭제하다
cancel an order 주문을 취소하다

03 **surf** [səːrf] v. 파도타기를 하다, (인터넷) 검색하다
surf the waves 파도를 타다
surf the net 인터넷을 검색하다

04 **sew** [sou] v. 바느질하다, 꿰매다   n sewing 바느질
sew with the silk thread 비단실로 바느질하다

05 **storage** [stɔ́ːridʒ] n. 저장, 저장소   store v 저장하다 n 상점
storage space 저장 공간

06 **state** [steit] n. 국가, 주
the State of California 캘리포니아 주

07 **poison** [pɔ́izən] v. 독을 넣다, 오염시키다 n. 독(약)   a poisonous 유독한, 유해한
poison gas 독가스
poison a river 강을 오염시키다

08 **exit** [égzit] v. 퇴장하다, 나가다 n. 출구, 퇴장   반 entrance 입구, 입장
exit a room 방을 나가다
an emergency exit 비상구

09 **community** [kəmjúːnəti] n. 지역 사회, 공동체
an international community 국제 사회

10 **judge** [dʒʌdʒ] v. 재판하다, 판단하다 n. 판사   n judgment 판단(력), 재판, 판결
a Supreme Court judge 대법원 판사
judge a person 사람을 판단하다

11 **discourage** [diskə́ːridʒ] v. 낙담[단념]시키다   반 encourage 격려하다 a discouraged 낙담한
discourage students 학생들을 낙담시키다   n discouragement 낙담, 실의

12 **accept** [æksépt] v. 받아들이다, 수락하다
accept an apology 사과를 받아들이다

13 **raise** [reiz] v. 올리다, 높이다 n. 봉급 인상, 승급   유 lift (들어)올리다
raise one's voice 목소리를 높이다

14 **reject** [ridʒékt] v. 거절하다, 거부하다   유 refuse 거절하다 n rejection 거절
firmly reject 단호하게 거절하다

15 **spray** [sprei] v. 뿌리다, 뿜다   n sprayer 분무기
spray perfume 향수를 뿌리다

16 **treat** [triːt] v. 대우하다, 치료하다 n. 한턱, 대접   n treatment 취급, 대우, 치료
treat as a friend 친구로 대하다

17 **propose** [prəpóuz] v. 제안[제의]하다, 청혼하다   n proposal 제안, 건의, 청혼
propose a solution 해결책을 제안하다
propose to her 그녀에게 청혼하다

18 **attack** [ətǽk] v. 공격하다 n. 공격
attack an enemy 적을 공격하다
make an attack 공격하다

19 **moral** [mɔ́(ː)rəl] a. 도덕의, 도덕적인   반 immoral 부도덕한
a moral life 도덕적인 생활

20 **particular** [pərtíkjələr] a. 특정한, 특수한   ad particularly 특히
a particular kind 특정 종류

21 **right** [rait] a. 옳은, 정확한, 오른쪽의 n. 권리   반 wrong 그른, 틀린
right behavior 옳은 행동
the right to know 알 권리

22 **formal** [fɔ́ːrməl] a. 형식적인, 공식적인, 격식을 차린   반 informal 비공식의, 격의 없는
a formal introduction 공식적인 소개

23 **except** [iksépt] prep. ~를 제외하고   n exception 예외, 제외
except Sunday 일요일은 제외하고

24 **among** [əmʌ́ŋ] prep. (셋 이상) ~의 사이[중]에서
among us 우리 중에서

25 **against** [əgénst] prep. ~에 반(대)하여, ~에 기대어
against a war 전쟁에 반대하는

Exercise

Expression Check 다음 영어를 우리말로, 우리말을 영어로 바꾸시오.

1 a national heritage   국가 _____
2 spray perfume   향수를 _____
3 attack an enemy   적을 _____
4 raise one's voice   목소리를 _____
5 cancel an order   주문을 _____

6 국제 사회   an international _____
7 전쟁에 반대하는   _____ a war
8 친구로 대하다   _____ as a friend
9 그녀에게 청혼하다 _____ to her
10 알 권리   the _____ to know

Word Link 다음 빈칸에 알맞은 단어를 쓰시오.

11 sew : _____ = 바느질하다 : 바느질
12 except : exception = _____ : 제외
13 reject : _____ = 거절하다 : 거절
14 poison : poisonous = 독 : _____
15 _____ : treat = 대우 : 대우하다

16 judgment : judge = 판단 : _____
17 _____ : moral = 부도덕한 : 도덕적인
18 exit : _____ = 출구 : 입구
19 _____ : storage = 저장하다 : 저장소
20 discourage : discouragement = _____ : 낙담

Sentence Practice 배운 단어를 사용하여 문장을 완성하시오.

21 그는 판사의 결정을 받아들일 수 없었다.   → He couldn't _____ the decision of the _____.
22 지역 사회는 새 개발 계획을 거부했다.   → The _____ the new development plan.
23 다수의 사람들이 독가스로 사망했다.   → A number of people died from _____ gas.
24 그들은 지하철 체계의 변화를 제의했다.   → They _____ changes to the subway system.
25 모든 사람은 공평하게 대우받을 권리가 있다.   → Everybody has the _____ to be _____ fairly.
26 그는 내 친구들 중에서 가장 똑똑한 녀석이다.   → He is the smartest guy _____ my friends.
27 지구 온난화가 지구의 온도를 높인다.   → Global warming _____ temperature of the earth.
28 우리는 역사적인 유산을 보호해야 한다.   → We must protect the historic _____.
29 고객들은 30일 이내에 주문을 취소할 수 있다.   → Clients may _____ the order within 30 days.
30 대부분의 사람들이 벌목에 반대한다.   → Most of the people are _____ logging

Review test Day 17 ~ Day 20

Date [   ]   Signature [   ]

A 올바른 답을 고르시오.

1 A large area of land, usually hot and dry is a ————————.

(a) routine　　　(b) last　　　(c) minor　　　(d) deset

2 To say something rude in order to upset people is to ————————.

(a) insult　　　(b) measure　　　(c) fond　　　(d) loose

3 A part of something is a(an)————————.

(a) element　　　(b) throne　　　(c) various　　　(d) goods

4 To express that you're unhappy about something is to ————————.

(a) court　　　(b) recycle　　　(c) main　　　(d) complain

5 To say that something will happen in the future is to ————————.

(a) predict　　　(b) support　　　(c) violent　　　(d) sound

B 다음 유의어를 연결하시오.

6 particular　　　·　　　　　　　· ⓐ personal

7 private　　　·　　　　　　　· ⓑ hurt

8 sore　　　·　　　　　　　· ⓒ kind

9 type　　　·　　　　　　　· ⓓ result

10 effect　　　·　　　　　　　· ⓔ special

C 다음 박스에서 알맞은 단어를 골라 빈칸을 채우시오. (필요한 경우 형태를 바꾸시오.)

discourage	punish	threaten	manage	include

11 He [   ] the child for being late to school today.

12 This document [   ] clients' private information.

13 Climate change [   ] to destroy the environment.

14 His father [   ] farms in the country.

15 Players were [   ] by the result of the game.

D 다음을 다음 영어를 우리말로, 우리말을 영어로 바꾸시오.

16	protect	_____	36	유산	_____
17	local	_____	37	독	_____
18	instrument	_____	38	저장	_____
19	divide	_____	39	판사	_____
20	insult	_____	40	평평한	_____
21	blame	_____	41	공동체	_____
22	principal	_____	42	~와 달리	_____
23	effort	_____	43	허드렛일	_____
24	especially	_____	44	옳은	_____
25	trade	_____	45	공식적인	_____
26	mention	_____	46	상	_____
27	public	_____	47	외국의	_____
28	sew	_____	48	취소하다	_____
29	accept	_____	49	초래하다	_____
30	decline	_____	50	오염시키다	_____
31	treat	_____	51	가까이에	_____
32	attack	_____	52	기능	_____
33	moral	_____	53	쓰린	_____
34	exit	_____	54	최근에	_____
35	starve	_____	55	검색하다	_____

E 단어를 듣고 받아쓰시오.

56 _____	66 _____	76 _____
57 _____	67 _____	77 _____
58 _____	68 _____	78 _____
59 _____	69 _____	79 _____
60 _____	70 _____	80 _____
61 _____	71 _____	81 _____
62 _____	72 _____	82 _____
63 _____	73 _____	83 _____
64 _____	74 _____	84 _____
65 _____	75 _____	85 _____

Accumulative test

Day 1 ~ Day 20

A	B	C	D
50~41	40~31	30~21	20~미만

Date _____ Signature _____

다음 영어를 우리말로, 우리말을 영어로 바꾸시오.

1 tax _____ ☐☐
2 function _____ ☐☐
3 threaten _____ ☐☐
4 protect _____ ☐☐
5 explore _____ ☐☐
6 pause _____ ☐☐
7 climate _____ ☐☐
8 minor _____ ☐☐
9 worship _____ ☐☐
10 predict _____ ☐☐
11 violent _____ ☐☐
12 require _____ ☐☐
13 trade _____ ☐☐
14 assignment _____ ☐☐
15 lately _____ ☐☐
16 due _____ ☐☐
17 heritage _____ ☐☐
18 comfortable _____ ☐☐
19 instead _____ ☐☐
20 various _____ ☐☐
21 chase _____ ☐☐
22 average _____ ☐☐
23 insist _____ ☐☐
24 tribe _____ ☐☐
25 insult _____ ☐☐

26 믿어지지 않는 _____ ☐☐
27 감탄하다 _____ ☐☐
28 속삭이다 _____ ☐☐
29 주요한 _____ ☐☐
30 속담, 격언 _____ ☐☐
31 노력 _____ ☐☐
32 효과, 영향 _____ ☐☐
33 재다 _____ ☐☐
34 재활용하다 _____ ☐☐
35 원리, 원칙 _____ ☐☐
36 공공의 _____ ☐☐
37 오염시키다 _____ ☐☐
38 보기, 사례 _____ ☐☐
39 숨, 호흡 _____ ☐☐
40 지탱하다 _____ ☐☐
41 언급하다 _____ ☐☐
42 앞선, 이전의 _____ ☐☐
43 경쟁하다 _____ ☐☐
44 어른, 성인 _____ ☐☐
45 향상시키다 _____ ☐☐
46 비난하다 _____ ☐☐
47 열망하는 _____ ☐☐
48 벌하다 _____ ☐☐
49 믿을 수 있는 _____ ☐☐
50 온도계 _____ ☐☐

Phrasal Verbs

+ take 잡다, 붙들다

take off 벗다, 이륙하다
Don't forget to take off your shoes in a room.
방에서는 신발을 벗어야 한다는 것을 잊지 마세요.

take out 데리고 나가다, 꺼내다
He took their kids out to the park.
그는 아이들을 데리고 공원에 갔다.

take over 인계하다, 대신하다
He will take over his father's business.
그는 아버지의 사업을 이어받을 것이다.

take away 빼앗다
They took away everything from me.
그들은 나에게서 모든 것을 빼앗아갔다.

take in 섭취하다, 흡수하다, 마시다
People have to take in enough water.
사람들은 충분한 물을 섭취해야 한다.

+ turn 돌다, 회전하다

turn down 소리를 작게 하다
(제안을) 거절하다
Would you turn down the radio?
라디오 볼륨 좀 줄여주시겠어요?

turn into ~로 변하다
The snow turned into rain.
눈이 비로 변했다.

turn in 제출하다
The students have to turn in their report by tomorrow.
학생들은 리포트를 내일까지 제출해야 한다.

turn on (라디오, 가스 등을) 켜다
I turned on the TV to watch a baseball game.
나는 야구 경기를 보기 위해 TV를 켰다.

turn around (방향을) 바꾸다
Turn around and come back to me.
돌아서 내게로 오세요.

Check - up

1 The plane for Busan will _____ _____ in 10 minutes.
부산행 비행기가 10분 후에 이륙할 것입니다.

2 Tom will _____ _____ your project while you are on your business trip.
당신이 출장가 있는 동안 Tom이 프로젝트를 대신할 것입니다.

3 Jane _____ _____ my proposal.
Jane은 나의 청혼을 거절했다.

4 His car _____ _____ a huge robot.
그의 자동차가 거대한 로봇으로 변했다.

Appendices

부록

1. Idioms
2. Index
3. Answers

IDIOMS

01 **a glass of :** 한 잔의

Would you give me a glass of water?

물 한 잔 주시겠습니까?

02 **a number of :** 많은

A number of cars are on the street.

길에는 많은 차들이 있다.

03 **according to :** ~에 따르면, ~에 의하면

According to the report, our economy will be better next year.

보고서에 따르면, 내년에 우리 경제가 나아질 거라고 한다.

04 **add to :** ~을 더하다

Please add some sugar to coffee.

커피에 설탕을 좀 넣어주세요.

05 **add up to :** 합계 ~이 되다

The total number of students adds up to 700.

총 학생 수는 700명이다.

06 **after a while :** 잠시 후에

The train will arrive in Seoul after a while.

잠시 후에 기차는 서울에 도착할 것이다.

07 **ahead of :** ~의 앞에

There is a car accident ahead of us.

우리 앞쪽에서 차 사고가 났다.

08 **all around :** 도처에

There are many beautiful flowers all around.

아름다운 꽃들이 도처에 많이 있다.

09 **all over the world :** 전 세계적으로

Soccer is one of the most popular sports all over the world.

축구는 세계에서 가장 인기 있는 스포츠 중 하나이다.

10 **all the way :** 내내, 줄곧

They ran to the town all the way.

그들은 시내까지 줄곧 뛰어갔다.

---

11 **all the year round :** 일 년 내내

The restaurant opens all the year round.

식당은 일년 내내 문을 연다.

---

12 **anything but :** 결코 ~ 아닌

She is anything but a doctor.

그녀는 결코 의사가 아니다.

---

13 **as a matter of fact :** 실은, 실제로는

As a matter of fact, I failed to pass the exam.

사실 나는 시험에 낙방했다.

---

14 **as a rule :** 대체로

As a rule, I go to bed at 10.

나는 대체로 10시에 잠자리에 든다.

---

15 **as well :** 게다가, 더구나, 마찬가지로

She can speak Japanese as well.

그녀는 일본어도 할 수 있다.

---

16 **at first sight :** 첫눈에

I fell in love with her at first sight.

나는 그녀와 첫눈에 사랑에 빠졌다.

---

17 **at that time :** 그 당시에는

Korea was a very poor country at that time.

그 당시 한국은 매우 가난한 나라였다.

---

18 **at the age of :** ~의 나이에

He entered the college at the age of 15.

그는 15세의 나이에 대학에 들어갔다.

19   **at the rate of :** ~의 비율로

The population of the city is increasing at the rate of 1.5% a year.

이 도시의 인구는 일 년에 1.5%의 비율로 증가하고 있다.

---

20   **back and forth :** 앞뒤로, 이리저리

I saw mice go back and forth around the corner.

나는 모퉁이에서 쥐가 이리저리 다니는 것을 보았다.

---

21   **be about to :** ~하려고 하다

She was about to get on the train.

그녀는 기차에 막 타려고 했다.

---

22   **be absent from :** ~에 결석하다

Susan is absent from school today.

Susan은 오늘 학교에 결석했다.

---

23   **be busy with :** ~로 붐비다

The department store is busy with a lot of people.

백화점은 많은 사람들로 붐빈다.

---

24   **be careful of :** ~을 조심하다

Be careful of bears.

곰을 조심하시오.

---

25   **be covered with :** ~으로 덮이다

The top of the mountain is covered with snow.

산꼭대기는 눈으로 덮여 있다.

---

26   **be due to + n :** ~ 때문이다

The accident was due to the rain.

그 사건은 비 때문에 일어났다.

---

27   **be due to + v :** ~할 예정이다

They are due to arrive tomorrow.

그들은 내일 도착할 예정이다.

---

28   **be famous for :** ~로 유명하다

The town is famous for oranges.

그 마을은 오렌지로 유명하다.

29 be fond of : ~을 좋아하다

They are fond of playing soccer.

그들은 축구를 하는 것을 좋아한다.

---

30 be free to : ~ 마음대로 ~해도 좋다

You are free to go wherever you want.

당신이 원하는 곳이라면 어디든 마음대로 가셔도 됩니다.

---

31 be freed from : ~로부터 해방되다

Women are freed from housework.

여성은 가사일로부터 해방되었다.

---

32 be good to : ~에게 친절히 대하다

Tom is always good to the students.

Tom은 늘 학생들을 친절히 대한다.

---

33 be lack in : ~이 부족한, ~이 없는

He is lack in patience.

그는 인내심이 부족하다.

---

34 be poor at : ~에 서툴다

She is poor at Chinese.

그녀는 중국어가 서툴다.

---

35 be ready for : ~의 준비가 되어 있다

I am not ready for the test.

나는 시험 준비가 안 되어 있다.

---

36 be ready to + 동사 : ~할 준비가 되다

 We are ready to take a trip.

우리는 여행갈 준비가 되어 있다.

---

37 be supposed to : ~하기로 되어 있다

I am supposed to meet my friend at 3 pm.

나는 3시에 내 친구를 만나기로 되어 있다.

---

38 be thankful to : ~에게 감사하다

We are thankful to your cooperation.

우리는 당신의 협조에 감사 드립니다.

39 between A and B : A 와 B의 사이에

There is a park between a hospital and a school.

병원과 학교 사이에는 공원이 있다.

---

40 be well-known for : ~로 잘 알려져 있다

He is well known for his novels.

그는 소설로 잘 알려져 있다.

---

41 before long : 머지않아

The water will be used up before long.

물은 머지않아 고갈될 것이다.

---

42 blow out : (불어서) 끄다

I blew out the candle before going to bed.

나는 잠자리에 들기 전에 촛불을 껐다.

---

43 break down : 고장 나다

My car broke down on the highway yesterday.

어제 내 차가 고속도로에서 고장이 났다.

---

44 break into : ~에 침입하다

A thief seems to break into my house.

도둑이 우리 집에 침입한 것 같다.

---

45 break out : (화재, 전쟁 등이) 일어나다, 발생하다

A big fire broke out at the downtown last night.

어젯밤에 시내에서 큰 불이 났다.

---

46 bring up : 양육하다, 기르다

She brought up two children.

그녀는 두 아이를 길렀다

---

47 by chance : 우연히

When I walked down the street, I met my friend by chance.

길을 걸어가고 있을 때 우연히 친구를 만났다.

---

48 call up : 전화하다

I will call you up tonight.

내가 오늘 밤에 전화할게.

49 **can not help +~ing :** ~하지 않을 수 없다

I could not help laughing at him when I saw him.

그를 봤을 때 나는 웃지 않을 수 없었다.

---

50 **carry out :** ~을 실행하다

You should carry out your duty first.

너는 먼저 의무를 실행해야만 한다.

---

51 **come across :** 우연히 만나다

They came across each other at the station.

그들은 정류장에서 우연히 만났다.

---

52 **compare A with B :** A를 B와 비교하다

Don't compare your teacher with another.

당신의 선생님을 다른 선생님과 비교하지 마십시오.

---

53 **come up to :** ~에게 다가오다

A stranger came up to me.

낯선 사람이 나에게 다가왔다.

---

54 **deal with :** 다루다, 대처하다, 처리하다

The country can't deal with such a disaster.

그 나라는 그런 재앙에 대처할 수가 없다.

---

55 **earn one's living :** 생계를 유지하다

He works as a janitor to earn his living.

그는 생계를 유지하기 위해 수위로 일한다.

---

56 **fail to :** ~할 수 없다, 실패하다

The soccer team failed to enter for World Cup.

그 축구팀은 월드컵 진출에 실패했다.

---

57 **fall asleep :** 잠이 들다

I fell asleep as soon as I got on a bus.

버스에 오르자마자 나는 잠이 들었다.

---

58 **fall off :** (나무 등에서)떨어지다

A boy fell off the roof and hurt his back.

소년은 지붕에서 떨어져서 등을 다쳤다.

59 **familiar with + 사물 :** ~에 정통한, ~를 잘 알고 있는

My father is familiar with a computer program.

우리 아버지는 컴퓨터 프로그램에 정통하다.

---

60 **first of all :** 우선 첫째로, 무엇보다 먼저

First of all, I'd like to thank you for your warm welcome.

우선, 따뜻한 환영에 감사를 드리고 싶습니다.

---

61 **frankly speaking :** 솔직히 말해서

Frankly speaking, I don't like my boss.

솔직히 말하면 나는 우리 상사가 마음에 들지 않는다.

---

62 **from now on :** 앞으로, 지금(이제)부터

From now on, I am going to study Japanese.

나는 이제부터 일본어를 배울 것이다.

---

63 **get rid of :** ~을 제거하다, ~을 없애다

They agreed to get rid of nuclear weapons.

그들은 핵무기를 없애는 데 동의했다.

---

64 **give a big hand :** 박수 갈채를 보내다

The audience gave her a big hand.

청중이 그녀에게 박수갈채를 보냈다.

---

65 **grow up :** 성장하다

What do you want to be when you grow up?

너는 크면 뭐가 되고 싶니?

---

66 **have a good time :** 즐겁게 지내다, 재미있는 시간을 보내다

I had a good time during the summer vacation.

나는 여름 방학 동안 즐거운 시간을 보냈다.

---

67 **head for :** ~로 향하여 가다

They are heading for a school.

그들은 학교를 향해 가고 있다.

---

68 **in addition to :** ~뿐만 아니라, ~에 덧붙여, ~ 외에도

In addition to three dogs, he has two cats.

그는 3마리의 개 외에도 2 마리의 고양이를 갖고 있다.

69 **in all :** 모두, 도합

They have 35 books in all.

그들은 모두 35권의 책을 가지고 있다.

---

70 **in common :** 공통적인

We have nothing in common.

우리는 아무런 공통점이 없다.

---

71 **in memory of :** ~을 기념하여, ~을 추모(애도)하여

A concert will be held in memory of her.

그녀를 추모하기 위한 콘서트가 열릴것이다.

---

72 **in the future :** 장차, 미래에

She wants to be a great scientist in the future.

그 여자는 장차 훌륭한 과학자가 되길 원한다.

---

73 **in the middle of :** ~의 한가운데에

There is a boat in the middle of a lake.

호수 한 가운데 보트가 있다.

---

74 **keep ~ from :** ~을 하지 못하게 하다

They keep their children from playing computer games.

그들은 아이들이 컴퓨터 게임을 하지 못하게 한다.

---

75 **keep ~ in mind :** 명심하다

You have to keep it in your mind.

너는 그것을 명심해야 한다.

---

76 **leave for :** ~을 향하여 떠나다

I'm going to leave for London today.

나는 오늘 런던으로 떠날 것이다

---

77 **little by little :** 조금씩, 차츰

The ship on the river began to move little by little.

강 위에 있는 배는 조금씩 움직이기 시작했다.

---

78 **live on :** 계속 살다, ~을 먹고 살다

Many Asians live on rice.

많은 아시아 사람들이 쌀을 먹고 산다.

79   **look forward to -ing :** ~을 고대하다, 기대하다

I am looking forward to seeing you soon.

당신을 곧 뵙게 되기를 기대합니다.

80   **look up to :** 존경하다

They look up to their father.

그들은 아버지를 존경한다.

81   **make a mistake :** 잘못을 저지르다, 실수를 하다

I made a mistake while I was making a speech.

나는 연설하는 도중에 실수를 했다.

82   **make a speech :** 연설을 하다

The president made a speech to the public.

대통령은 대중 앞에서 연설을 했다.

83   **make an appointment with :** ~와 약속을 하다

I made an appointment with a dentist today.

나는 오늘 치과 진료 약속이 있다.

84   **make out :** 이해하다, 성공하다

I can't make out what he is saying.

나는 그가 하는 말을 이해할 수가 없다.

85   **make up one's mind :** 결심하다

Do you make up your mind to go to college?

너는 대학에 들어가기로 결심했니?

86   **not A but B :** A가 아니고 B다

This book is not yours but mine.

이 책은 네 것이 아니라 내 것이다.

87   **not only A but also B :** A뿐 아니라 B도

He can speak not only English but also French.

그는 영어 뿐 아니라 불어도 할 수 있다.

88   **of itself :** 저절로

The door opened of itself.

문이 저절로 열렸다.

89 **on and on :** 줄곧, 계속해서

Many ants are coming out of a hole on and on.

많은 개미들이 구멍 밖으로 계속 나오고 있다.

---

90 **on business :** 업무로

He is going to Europe on business tomorrow.

내일 그는 유럽에 출장 갈 것이다.

---

91 **on one's way :** 도중에

I met Tom on my way to school.

학교 가는 길에 Tom을 만났다.

---

92 **on the other hand :** 한편, 그와 반대로

I am tall, on the other hand, my brother is short.

나는 키가 큰 반면 우리 형은 키가 작다.

---

93 **once upon a time :** 옛날에

Once upon a time there lived a beautiful princess.

옛날에 아름다운 공주가 살았습니다.

---

94 **one after another :** 하나씩 차례로

The students entered the building one after another.

학생들이 한명씩 차례로 건물에 들어갔다.

---

95 **pay for :** ~의 값을 치르다

I forgot to pay for the rent.

나는 집세를 내는 것을 잊어버렸다.

---

96 **pay off :** (빚을) 갚아 버리다

He paid off his debt last year.

그는 작년에 빚을 다 갚았다.

---

97 **play a role :** 역할을 하다

John played a crucial role in the play.

John은 그 연극에서 중요한 역할을 맡았다.

---

98 **point of view :** 관점

We have a different point of view on the event.

우리는 이 사건에 대한 다른 관점을 가지고 있다.

99 prevent ~from : 방해하여 못하게 하다

Teachers prevented their students from swimming in the river.

교사들은 학생들이 강에서 수영하지 못하도록 했다.

100 pull out : (마개 따위를) 뽑다

The dentist pulled out my rotten teeth.

그 치과의사는 내 썩은 이를 뽑았다.

101 put out : (불을) 끄다

The fire fighters put out a fire on the building immediately.

소방관들이 건물에 붙은 불을 즉시 껐다.

102 put up : (텐트 등을) 치다

We put up a tent in the mountain.

우리는 산에서 텐트를 쳤다.

103 remind A of B : A에게 B를 회상하게 하다

She reminded me of my mother.

그녀는 나에게 나의 어머니를 생각나게 한다.

104 run out of : 다 떨어지다, 다 써버리다

We ran out of gas.

가스가 다 떨어졌다.

105 see off : ~을 전송하다, 배웅하다

I saw her off at the airport.

나는 공항에서 그녀를 전송했다.

106 show off : 자랑하다.

She showed off her new necklace.

그녀는 새 목걸이를 자랑했다.

107 suffer from : ~으로 고통 받다

He is suffering from a toothache.

그는 치통으로 아파하고 있다.

108 take a look at : ~을 힐끗 바라보다

The professor took a look at the paper and put it in a drawer.

교수가 시험지를 힐끗 본 후 서랍에 넣었다.

109 take out : 꺼내다

Please take out your notebook.

공책을 꺼내세요.

110 take a walk : 산책을 하다

I take a walk in the morning.

나는 아침에 산책을 한다.

111 take part in : ~에 참여하다

They want to take part in the party.

그들은 파티에 참가하고 싶어한다.

112 take place : 발생하다, 일어나다

When does the graduation ceremony take place?

언제 졸업식이 거행되니?.

113 the day before yesterday : 그저께

We went to the zoo the day before yesterday.

우리는 그저께 동물원에 갔다.

114 the other day : 요전 날, 몇칠 전에

I met hime the other day.

나는 그를 며칠 전에 만났다.

115 these days : 요즈음

It's very cold these days.

요즘 날씨가 매우 춥다.

116 thousands of : 수천 명의

Thousands of people gathered in front of the city hall.

수천 명의 사람들이 시청 앞에 모였다.

117 too ~ to ~ : 너무 ~하여 ~할 수 없다

She is too young to go to school.

그녀는 너무 어려서 학교에 다닐 수 없다.

118 would like to ~ : ~하고 싶다

I would like to go to a beach this summer.

나는 이번 여름에 해변에 가고 싶다.

119 **write down :** 기록하다, 적어 두다

Please write down your name in your book.

책에 너의 이름을 적어라.

---

120 **why don't you ~? :** ~하면 어떻습니까?

Why don't you join us?

우리와 함께 하는 것이 어떻습니까?

INDEX

ANSWERS

Day 1

Exercise p.14

Expression Check

1 예정인   2 부수다
3 모으다   4 생산하다
5 치료하다   6 annual
7 discuss   8 notice
9 humankind   10 doubt

Word Link

11 긴박한   12 여행
13 collection   14 unnecessary
15 믿다   16 construct
17 시도하다   18 discussion
19 동정심 있는   20 생산, 제조

Sentence Practice

21 discussed, emergency
22 Several
23 former
24 annual
25 expedition, proceeded
26 notice, necessary
27 satellite, destroyed
28 due
29 collect
30 selected

Day 2

Exercise p.17

Exercise Expression Check

1 경비   2 경치
3 임무   4 제공하다
5 독특한   6 advertise
7 deceive   8 rapid

9 prevent   10 depend

Word Link

11 convenient   12 빨리
13 주의 깊은   14 impatient
15 제안   16 sharp
17 예방   18 expensive
19 속이다   20 광고

Sentence Practice

21 view, attention
22 trick, emperor
23 pronunciation
24 expense
25 suggested
26 fasten
27 advertised, unique
28 patients
29 prevented
30 attention

Day 3

Exercise p.20

Expression Check

1 느끼다   2 숭배하다
3 발견하다   4 기간
5 발표하다   6 raw
7 feed   8 recognize
9 describe   10 proverb

Word Link

11 불이익   12 가치 있는
13 irregular   14 요리된
15 발견   16 sensitive
17 valuable   18 description

19 세관 20 공지

Sentence Practice

21 worship
22 described, gravity
23 proverbs, value
24 advantage
25 raw
26 praised
27 recognized
28 voted
29 pretended
30 feed

Day 4

Exercise
p.23

Expression Check

1 고객	2 밑바닥
3 품질	4 구체적인
5 열망하는	6 mess
7 tomb	8 greedy
9 preserve	10 develop

Word Link

11 일반적인	12 top
13 competition	14 열망
15 smooth	16 quantity
17 disappear	18 기대
19 세 배의	20 무덤

Sentence Practice

21 digging
22 customer, expected
23 competing
24 volunteered
25 recovered

26 imaginative
27 developed
28 focus, customer
29 preserved
30 rough, tomb

Review Test Day 1 ~ Day 4

A
p.24

1 (c)	2 (a)
3 (d)	4 (b)
5 (a)	

B

6 ⓑ	7 ⓐ
8 ⓔ	9 ⓓ
10 ⓒ	

C

11 shelter	12 preserve
13 habit	14 view
15 greedy	

D

16 작곡가	17 비상사태
18 인공위성	19 치료하다, 치료법
20 파괴하다	21 논의하다
22 임무	23 한 학기
24 통제하다	25 붙들어 매다
26 의존하다	27 관습
28 느끼다	29 예배, 숭배
30 생산하다	31 열망하는
32 뒤죽박죽	33 상상력이 풍부한
34 탐욕스러운	35 버릇
36 adolescence	37 humankind
38 population	39 doubt
40 add	41 collect

42 necessary	43 expense
44 material	45 emperor
46 prevent	47 rapid
48 patient	49 gravity
50 proverb	51 vote
52 feed	53 volunteer
54 tomb	55 raw

E

56 deceive	57 proceed
58 plenty	59 suppose
60 trial	61 convenience
62 provide	63 regular
64 medium	65 anxious
66 advance	67 sympathy
68 cure	69 compete
70 specific	71 period
72 quality	73 average
74 term	75 sight
76 notice	77 composer
78 task	79 voyage
80 rough	81 grand
82 view	83 fasten
84 former	85 discover

Accumulative Test Day 1 ~ Day 4

1 1년의	2 속이다
3 정기적인	4 사춘기
5 가정하다	6 가치
7 진보	8 버릇
9 동정	10 공급하다
11 과제	12 광고하다
13 ~인 체하다	14 재료
15 품질	16 작곡가
17 가치	18 의존하다
19 중력	20 인구

21 회복하다	22 상상력이 풍부한
23 발음	24 보존하다
25 인공위성	26 discuss
27 expense	28 unique
29 discover	30 emperor
31 emergency	32 suggest
33 attention	34 elementary
35 destory	36 agriculture
37 recognize	38 humankind
39 customer	40 dull
41 expect	42 praise
43 necessary	44 volunteer
45 advantage	46 double
47 bottom	48 doubt
49 greedy	50 vote

Phrasal Verbs
Check-up

1 came, across	2 come, into
3 get, to	4 get, on

Day 5

Exercise   p.32
Expression Check

1 기사	2 탐정
3 소유하다	4 거절하다
5 펼치다	6 well-known
7 breath	8 explain
9 reply	10 stale

Word Link

11 가엾은	12 accept
13 innocent	14 완성
15 slavery	16 부유한
17 fresh	18 inactive
19 숨쉬다	20 보조

Sentence Practice

21 detective

22 spread

23 slave

24 refused, stale

25 data, article

26 explained, habitat

27 interviewed, well-known

28 triumph

29 assistant, replied

30 endangers

Day 6

Exercise   p.35

Exercise Expression Check

1 태도   2 직업

3 조사하다   4 선출하다

5 살려주다   6 dialect

7 connect   8 unknown

9 attend   10 principle

Word Link

11 조직하다   12 debtor

13 election   14 modern

15 분리하다   16 탐험

17 connection   18 유명한

19 increase   20 항구

Sentence Practice

21 ancient

22 explore

23 reduce, debt

24 principle

25 aim

26 unknown, harbor

27 dialect

28 elected, chief, organization

29 record

30 attend

Day 7

Exercise   p.38

Expression Check

1 피하다   2 현장

3 구하다   4 설립하다

5 화학   6 fix

7 citizen   8 respect

9 duty   10 wet

Word Link

11 harmonious   12 책임, 의미

13 end   14 narrow

15 화학   16 decorate

17 reaction   18 engagement

19 require   20 dry

Sentence Practice

21 zone

22 harmony

23 rescued, flame

24 fixed, handle

25 continue

26 chemical, established

27 respect

28 fixed, decorations

29 continued

30 duty

Day 8

Exercise p.41

Expression Check

1 학위   2 엄격한
3 돌아가다   4 공통
5 상황   6 whole
7 humble   8 choose
9 pause   10 employ

Word Link

11 fail   12 오만한
13 선택   14 whole
15 continue   16 strictly
17 employee   18 표현
19 곡물   20 friend

Sentence Practice

21 employed, humble
22 revolution
23 equipment
24 count
25 relatives, battle
26 enemy, forced
27 amount, grain
28 paused
29 whole
30 eager, return

Review Test Day 5 ~ Day 8

A p.42

1 (b)   2 (c)
3 (c)   4 (d)
5 (a)

B

6 ⓒ   7 ⓐ
8 ⓓ   9 ⓑ
10 ⓔ

C

11 article
12 rescued
13 return
14 strict
15 elected

D

16 기사   17 의견
18 탐정   19 승리
20 원리   21 방언
22 연결하다   23 줄이다
24 고대의   25 의무
26 시민   27 지속하다
28 존경하다   29 필요로 하다
30 화학의   31 전쟁, 전투
32 존경하다   33 상황
34 선택하다   35 돌아가다
36 habitat   37 slave
38 interview   39 soil
40 edit   41 attend
42 parliament   43 flame
44 rescue   45 avoid
46 fix   47 wet
48 relative   49 equipment
50 enemy   51 grain
52 revolution   53 employ
54 express   55 reaction

E

56 religion   57 drown
58 opinion   59 elect

60 degree
62 zone
64 hollow
66 battle
68 complete
70 chief
72 common
74 maintain
76 appreciate
78 career
80 pause
82 holy
84 attitude

61 exist
63 wealth
65 spare
67 pity
69 eager
71 harbor
73 avoid
75 refuse
77 site
79 explore
81 own
83 engage
85 count

41 article
43 reaction
45 medium
47 slave
49 elect

42 remove
44 revolution
46 humble
48 religion
50 continue

Phrasal Verbs
Check-up
1 give, away
3 went, up

2 gives, off
4 go, over

Day 9

Exercise   p.50
Expression Check
1 자원
3 특징
5 줄
7 defend
9 huge

2 환경
4 편안한
6 region
8 guard
10 entire

Word Link
11 achievement
13 정보
15 방어
17 explosion
19 sink

12 well
14 작은
16 creative
18 uncomfortable
20 지평선

Sentence Practice
21 department, wildlife
22 guard, resources
23 huge, comfortable
24 exploded
25 row
26 horizon
27 entire, achieved
28 willing

Accumulative Test   Day 1 ~ Day 8

1 선택하다
3 화학의
5 조사하다
7 열망하는
9 상황
11 항해
13 장비
15 성취하다
17 많은
19 알리다
21 다루다, 손잡이
23 고용하다
25 부
27 attitude
29 prevent
31 relative
33 duty
35 develop
37 avoid
39 patient

2 항구
4 웅장한
6 조화
8 설명하다
10 억지로 ~ 시키다
12 의견
14 빠른
16 출석하다
18 표현하다
20 우두머리
22 밑바닥
24 대답하다
26 several
28 citizen
30 assistant
32 cure
34 own
36 dialect
38 decoration
40 maintain

29 ruined, environment

30 entire

Day 10

Exercise p.53

Expression Check

1	부족	2	전통적인
3	변화	4	시민
5	흐르다	6	deny
7	illegal	8	border
9	via	10	rinse

Word Link

11	응답하다	12	decrease
13	더 좋은	14	suddenly
15	인정하다	16	decision
17	동등하지 않은	18	legal
19	민간인	20	유명한

Sentence Practice

21 tribe, traditional

22 denied

23 frequently, border

24 worse

25 decided, via

26 adjust, sudden

27 equal

28 response

29 increase

30 illegal

Day 11

Exercise p.56

Expression Check

1	구성하다	2	책임
3	재해	4	채택하다
5	믿어지지 않는	6	certain
7	fate	8	alien
9	tiny	10	literature

Word Link

11	thickness	12	unfold
13	정확하게	14	export
15	파다	16	huge
17	assign	18	떨어지다
19	책임이 있는	20	male

Sentence Practice

21 literature

22 imports, groceries

23 tiny, buried

24 delay

25 responsibility, assignment

26 balance

27 incredible, disaster

28 horror, female

29 rise, burden

30 adopt

Day 12

Exercise p.59

Expression Check

1	정착하다	2	용서하다
3	환불하다	4	높이 평가하다
5	운반하다	6	commit
7	extra	8	hardly

9 disease   10 harvest

Word Link

11 long   12 robbery

13 호의적인   14 solar

15 점진적인   16 cause

17 감탄   18 thirst

19 unfit   20 운반인, 운반기

Sentence Practice

21 thisty, berverage

22 hesitated

23 individual, purpose

24 disease, affected

25 admired, result

26 refund

27 cells

28 forgave

29 lunar

30 sighed

Review Test Day 9 ~ Day 12

A   p.60

1 (b)   2 (d)

3 (c)   4 (d)

5 (c)

B

6 ⓓ   7 ⓒ

8 ⓔ   9 ⓑ

10 ⓐ

C

11 Unless

12 hesitated

13 responsibility

14 traditional

15 ruined

D

16 창조하다   17 거의 ~하지 않다

18 균형을 잡다, 균형 19 기간

20 환불하다, 환불   21 야생생물

22 목적, 용도   23 모으다, 채집하다

24 여성, 여성의   25 증가하다

26 정확한   27 지방, 지역

28 달의   29 수평선

30 ~동안   31 강탈하다

32 알리다   33 짐을 지우다

34 특징으로 하다   35 감탄하다

36 deny   37 literature

38 separate   39 disaster

40 resource   41 harvest

42 equal   43 border

44 alien   45 certain

46 explode   47 thirsty

48 adjust   49 beside

50 tiny   51 comfortable

52 sudden   53 forgive

54 response   55 beverage

E

56 skill   57 fellow

58 favor   59 thick

60 span   61 sigh

62 unless   63 detail

64 row   65 fate

66 assignment   67 illegal

68 rotate   69 feature

70 grave   71 bury

72 purpose   73 fame

74 horror   75 affect

76 achieve   77 badly

78 admire   79 result

80 via   81 gradually

82 disaster   83 float

84 gather   85 separate

Accumulative Test Day 1 ~ Day 12

1 시각, 시야   2 날것의

3 국경, 경계   4 알려지지 않은

5 공통의   6 환불하다, 환불

7 활동적인   8 운명

9 수확   10 묘

11 조절하다   12 잘못

13 영향을 미치다   14 한 학기

15 묻다   16 전부의

17 주저하다   18 설립하다

19 공포   20 파멸시키다

21 시민의   22 시도

23 명성   24 기간

25 알아채다   26 appear

27 environment   28 delay

29 holy   30 feed

31 ancient   32 wildlife

33 purpose   34 refuse

35 burden   36 traditional

37 grain   38 disease

39 period   40 increase

41 literature   42 respect

43 responsibility   44 individual

45 expedition   46 illegal

47 gradually   48 guilty

49 lunar   50 inform

Phrasal Verbs
Check-up

1 looking, for   2 look, after

3 called, off   4 call, up

Day 13

Exercise   p.68

Expression Check

1 빛나다   2 실

3 거리   4 규율

5 거의   6 sourse

7 cemetery   8 squeeze

9 instead   10 share

Word Link

11 disciplinary   12 correct

13 distant   14 썩다

15 belonging   16 know

17 헐렁헐렁한   18 spiritual

19 입장   20 dependence

Sentence Practice

21 admitted, false

22 telescope, belongs

23 figured, distance

24 practical

25 nearly, rotted

26 share

27 afford

28 knowledge

29 independence

30 adult

Day 14

Exercise

Expression Check

1 기온	2 과세하다
3 마지막	4 평평한
5 합계	6 skip
7 district	8 ceremony
9 thus	10 rub

Word Link

11 비교	12 마지막의
13 완전히	14 귀중한
15 이용할 수 없는	16 arrogance
17 섞다	18 recent
19 long	20 향상

Sentence Practice

21 improve
22 available
23 grabbed
24 assumed
25 role, temperature
26 compared, length
27 blend
28 total
29 precious
30 flavor

Day 15

Exercise

p.74

Expression Check

1 산업	2 뿌리
3 현재	4 제목
5 최신	6 rush
7 attach	8 document
9 general	10 stretch

Word Link

11 industrial	12 form
13 attachment	14 앞쪽으로
15 의도	16 technique
17 increase	18 superstition
19 우기는	20 자선

Sentence Practice

21 document , title
22 homeless, charity
23 previous, up-to-date
24 intended, bow
25 homeless
26 Neither
27 attached, form
28 current
29 rushed
30 surrounded

Day 16

Exercise

p.77

Expression Check

1 장점	2 재료
3 해양	4 제안
5 항해하다	6 firm
7 afterward	8 instant
9 search	10 edge

Word Link

11 설립하다	12 behave
13 시골의	14 determination
15 benefit	16 merit

17 신뢰하는   18 symbolic
19 선원   20 charming

Sentence Practice

21 determined, route
22 founded, firm
23 ingredient
24 searching, vehicle
25 edge
26 marines, sailed
27 technology, merits
28 Afterward, urban
29 offer, benefits
30 even, trust

Review Test   Day 13 ~ Day 16

A   p.78

1 (b)   2 (b)
3 (c)   4 (c)
5 (b)

B

6 ⓓ   7 ⓐ
8 ⓒ   9 ⓔ
10 ⓑ

C

11 insisted
12 compare
13 search
14 share
15 intends

D

16 차량   17 도시의
18 근원   19 섞다

20 장점   21 매력
22 정신   23 산업
24 기본   25 빠뜨리다
26 시도하다   27 둘러싸다
28 이익   29 가장자리
30 앞선   31 세금
32 기법   33 항목
34 보답하다   35 대신에
36 independence 37 discipline
38 belong   39 admit
40 firm   41 merchant
42 document   43 precious
44 ceremony   45 thread
46 recently   47 form
48 glow   49 rot
50 grab   51 bow
52 stretch   53 nearly
54 role   55 born

E

56 flavor   57 knowledge
58 superstition 59 indicate
60 marine   61 tight
62 item   63 primary
64 root   65 improve
66 ceremony   67 insist
68 attempt   69 false
70 spirit   71 route
72 ingredient   73 available
74 swallow   75 current
76 industry   77 discipline
78 reward   79 symbol
80 vehicle   81 general
82 charity   83 assume
84 adult   85 intend

Accumulative Test Day 1 ~ Day 16

1 감소하다	2 수평선
3 실용적인	4 통제하다
5 거만한	6 붙들어 매다
7 분리하다	8 구역
9 고정시키다	10 즉시
11 부인하다	12 지적하다
13 존재하다	14 속이다
15 자선	16 위험에 빠뜨리다
17 산업	18 훈련, 규율
19 거짓의	20 비교하다
21 시도하다	22 상인
23 짜내다	24 실
25 현재의	26 precious
27 general	28 import
29 temperature	30 swallow
31 spread	32 independence
33 intend	34 custom
35 superstition	36 homeless
37 charm	38 ingredient
39 length	40 previous
41 recently	42 determine
43 ceremony	44 knowledge
45 shelter	46 defend
47 symbol	48 connect
49 urban	50 female

Phrasal Verbs
Check-up

1 put[hold], off	2 held, back
3 put, down	4 puts, on

Day 17

Exercise   p.86
Expression Check

1 온도계	2 기능
3 지역	4 효과
5 꼬다	6 minor
7 various	8 whisper
9 chores	10 flat

Word Link

11 무기	12 원인
13 용감한	14 포함하여
15 various	16 location
17 major	18 protect
19 starvation	20 사생활

Sentence Practice

21 whispered, private
22 protected, weapon
23 chores
24 weapon
25 routine
26 includes, effects
27 Minor, caused
28 bold
29 Various, displayed
30 tone

Day 18

Exercise   p.89
Expression Check

1 나누다	2 기후
3 거래	4 무늬
5 교장	6 saint
7 damage	8 blame
9 manage	10 nearby

Word Link

11 pressure	12 칭찬하다
13 pollute	14 지지자
15 전형적인	16 division
17 최근에	18 violent
19 management	20 느슨한

Sentence Practice

21 blamed, instrument

22 fond, last

23 chased, violent

24 principal, manages

25 deal, climate

26 polluted, nearby

27 throne

28 divided

29 sore, lately

30 contact

Day 19

Exercise p.92

Expression Check

1 하락	2 물품
3 우려	4 주요
5 끌다	6 award
7 else	8 public
9 clone	10 unlike

Word Link

11 모욕적인	12 foreigner
13 decline	14 예언하다
15 measurement	16 complaint
17 threatening	18 재활용
19 punish	20 rely

Sentence Practice

21 traded

22 court

23 mentioned, award

24 desert

25 punished

26 declined, public

27 foreign, unlike

28 else

29 goods, recycled

30 complain

Day 20

Exercise p.95

Expression Check

1 유산	2 뿌리다
3 공격하다	4 높이다
5 취소하다	6 community
7 aganist	8 treat
9 propose	10 right

Word Link

11 sewing	12 제외하고
13 rejection	14 유독한
15 treatment	16 판단하다
17 immoral	18 entrance
19 store	20 낙담시키다

Sentence Practice

21 accept, judge

22 community, rejected

23 poison

24 proposed

25 right, treated

26 among

27 raises

28 heritage
29 cancel
30 against

Review Test Day 17 ~ Day 20

A   p.96

1 (d)   2 (a)
3 (a)   4 (d)
5 (a)

B

6 ⓔ   7 ⓐ
8 ⓑ   9 ⓒ
10 ⓓ

C

11 punished
12 includes
13 threatens
14 manages
15 discouraged

D

16 보호하다   17 지역적인
18 기구   19 나누다
20 모욕하다   21 비난하다
22 교장   23 노력
24 특히   25 교환하다
26 언급하다   27 공공의
28 바느질하다   29 받아들이다
30 거절하다   31 대우하다
32 공격하다   33 도덕적인
34 나가다   35 굶주리다
36 heritage   37 poison
38 storage   39 judge
40 flat   41 community

42 unlike   43 chore
44 right   45 formal
46 award   47 foreign
48 cancel   49 cause
50 pollute   51 nearby
52 function   53 sore
54 lately   55 surf

E

56 matter   57 violent
58 treat   59 instance
60 divide   61 exit
62 local   63 deal
64 goods   65 cause
66 except   67 predict
68 chase   69 heritage
70 various   71 flat
72 concern   73 effort
74 judge   75 raise
76 bold   77 saint
78 loose   79 reliable
80 surf   81 attack
82 throne   83 else
84 whisper   85 firm

Accumulative Test Day 1 ~ Day 20

1 세금   2 기능
3 위협하다   4 보호하다
5 탐험하다   6 중단하다
7 기후   8 소수의
9 숭배하다   10 예측하다
11 난폭한   12 필요로 하다
13 매매하다   14 할당된 일
15 최근에   16 지불기일이 된
17 유산   18 편안한

19 대신에   20 여러 가지의

21 뒤쫓다   22 평균의

23 주장하다   24 부족

25 모욕하다   26 incredible

27 admire   28 whisper

29 primary   30 proverb

31 effort   32 effect

33 measure   34 recycle

35 principle   36 public

37 pollute   38 instance

39 breath   40 suppot

41 mention   42 previous

43 compete   44 adult

45 improve   46 blame

47 eager   48 punish

49 reliable   50 thermometer

Phrasal Verbs

Check-up

1 take, off   2 take, over

3 turned, down   4 turned, into